외로워지면
내 이름을 불러줘

이 도서의 국립중앙도서관 출판예정도서목록(CIP)은 서지정보유통지원시스템 홈
페이지(http:// seoji.nl.go.kr)와 국가자료공동목록시스템(http://www.nl.go.kr/
kolisnet)에서 이용하실 수 있습니다. (CIP2019047899)

야마우치
마리코
소　　설

박은희 옮김

외로워지면

내 이름을 불러줘

허클베리북스

한국의 독자 여러분께

　한국 독자 여러분 안녕하세요! 저는 일본 소설가 야마우치 마리코입니다. 2012년에 첫 소설집을 냈는데, 이 책은 제 세 번째 책입니다. 2018년에는 한국에서 결혼에 관한 제 에세이집 『설거지 누가 할래: 오래오래 행복하게, 집안일은 공평하게』가 출간되었습니다. 이번에 제 소설을 한국의 독자들께 처음 선보이게 되어 정말 기쁩니다.

　저는 지금 도쿄에서 살고 있지만, 태어나서 자란 곳은 도야마라는 지방 도시입니다. 도쿄에서 신칸센으로 두 시간 정도 걸리는 시골입니다. 저는 시골과 도시, 어느 한쪽에도 완전히 속하지 못한 상태에서 이 두 공간을 쭉 지켜봤습니다. 이것이 제가 소설을 쓰는 중요한 주제입니다. 시골이라고는 말했지만, 그곳은 한가로운 전원 풍경이 펼쳐지는 곳이 아닙니다. 제가 즐겨 그리는 시골은 대량 소비를 위한 체인점과 쇼핑몰밖에 달리 갈 장소가 없는 플라스틱 같은 세계입니다. 그곳이 아름다운 곳인지 사실 저는 잘 모르겠습니다. 하지만 그런 장소들이나 그곳에서 사는 사람들의 정신세계는 저를 크게 자극하고 '이야기'를 불러일으킵니다.

일본의 깡시골에서 대중문화를 동경하면서 10대를 보낸 탓인지, 제 소설에는 유명인의 이름이나 고유명사가 많이 나옵니다. 옛날 일본 영화에 나왔던 여배우 이름, TV 버라이어티 프로그램에서 알게 된 연예인 이름, 1980년대에 활약한 팝스타 이름, 만화나 애니메이션, 게임, 잡지 제목, 실제로 존재하는 맥주 제조회사 이름, 소니가 발매한 로봇 개 이름 등등……. 이 책에 등장하는 고유명사는 조금 마니아적인 부분이 있기 때문에 아마 번역하시는 분이 매우 곤혹스러우셨을 거라고 생각합니다. (이 까다로운 책을 번역하겠다고 선뜻 결정해주신 번역자 박은희 씨에게 진심으로 감사!) 일본 독자들에게도 뉘앙스가 잘 전달되지 않을 것 같은 부분이 많은데, 과연 한국 독자 여러분들이 이 책을 즐겁게 읽어주실지 궁금합니다. 하지만 지엽적인 디테일을 벗겨낸 큰 줄기는 분명 여러분께서도 공감하실만한 감정이나 감각일 거라고 믿습니다.

이 단편집에 등장하는 여자들은 대부분 10대나 20대입니다. 그들은 아직 자신의 인생이 흔들릴 정도의 여성 차별에는 직면하지 않았고, 결혼할 때까지의 유예 기간이라는 자유시간의 한가운데에 있습니다. 한국의 독자 여러분들께서 그 상태의 덧없음, 위험함, 씩씩함, 사랑스러움을 감지해주신다면 정말 기쁘겠습니다.

2019년 12월
야마우치 마리코

차례

사요짱은 추녀가 아니야

어릴 적 TV에서 본 한 장면이었습니다.

프로그램 이름이나 다른 출연자는 전혀 기억나지 않고, 어떤 맥락에서 나온 말인지도 잊어버렸지만, 어쨌든 '케론파'라는 애칭으로 불리던 배우 우쓰미 미도리가 귀여운 말투로 이런 말을 했습니다.

"나처럼 괴상한 얼굴이라도 말이야, 아빠가 이쁘다 이쁘다 말해주니까 난 내가 귀엽다고 생각하게 됐지롱. 그래서 이런 성격이 돼버린 거양!"

아, 내게도 우쓰미 미도리의 아빠 같은 사람이 있었으면 좋았을 텐데. "너는 예뻐, 너무 예쁘다" 하고, 눈을 똑바로 바라보고 말해주는 누군가가.

그런 사람이 곁에 있었다면 저도 우쓰미 미도리처럼 '케론파'와 같은 애칭으로 불리는 귀여운 여자아이가 될 수 있었을지도 모릅니다.

저는 거울을 볼 때마다 맘속으로 우쓰미 미도리의 아버지가 제게 이렇게 말해주는 상상을 하며 조금이나마 저를 위로했습니다.

"예뻐. 예뻐. 사요짱은 예뻐. 사요짱은 추녀가 아니야. 정말이야."

그런 식으로 저는 제 인생의 전반부를 제가 예쁘게 태어나지 않았다는 사실을 인정하는 데 모두 허비했습니다. 못생기게 태어난 제 얼굴을 받아들이기가 꽤 힘들었고, 외모 때문에 뒤틀린 마음은 검은 피를 철철 흘리며 시기와 질투로 보기 흉하게 변해버렸습니다. 연애는 꿈도 꾸지 말아야 할 사람이라고 스스로 비하하면서 살아온 겁니다.

"지금까지 스물한 해 동안 살면서 정말 많은 일이 있었어요."

제가 이렇게 털어놓자 그는 못생긴 얼굴로 사람 좋은 미소를 띠며 말했습니다.

"그렇겠죠. 추녀가 손목도 긋지 않고 지금까지 살아남았다니 진짜 표창감이죠."

"뭐?"

트위터에서 자주 보던 까칠한 유머에 저도 모르게 웃음이 나서 피식 웃고는 이번에는 제가 이렇게 말했습니다.

"왜냐하면 추녀가 손목 같은 거 그어도 아무도 도와주러 오지 않으니까요."

하하하하.

우리는 첫 만남인데도 지브리 영화의 마지막 장면처럼 서로 마주 보고 크게 웃었습니다.

제 이야기를 조금만 더 할게요.

추녀라면 누구나 남자들에게 몹쓸 장난 한두 번쯤 당해보았겠지만, 저 같은 경우에는 초등학교 고학년이 되니까 그 빈도가 부쩍 늘어서, 복도를 걷고 있으면 갑자기 누가 뒤에서 발로 뻥 차서 나자빠지는 일이 일상이 됐습니다. 또 남학생들 사이에서 제 몸을 터치하는 걸 벌칙으로 하는 게임이 유행하기도 해서, 쉬는 시간마다 누군가 다가와서는 마치 송충이라도 만지듯 제 팔이나 등을 터치하고 달아났습니다. 그래요. 그들은 저를 만지자마자 혐오스러운 표정으로 획 돌아섰습니다. 저는 괴롭힘을 당했다는 사실에 몹시 상처를 받았고 남자라면 모두 다 싫어졌습니다.

그래서 중학교 입시에선 사립 여자학교를 선택했어요. 무사히 합격했을 때 맘속 깊이 안도했던 기억이 납니다. '이제 남자랑 얽히지 않아도 돼.' 발로 차이는 일도, 짜증 섞인 욕을 듣는 일도, 상처받을 일도 없다고 생각하니 눈물이 왈칵 쏟아졌습니다. 중학교 3년에서 고등학교 3년으로 바로 이어지는 사립 여자학교는 제게 그야말로 낙원이었습니다. 하지만 그 안에서도 소외감은 결코 지울 수 없었습니다. 어려서부터 겪은 이지메와 외모 콤플렉스 때문에 믿기 어려울 만큼 비굴한 성격으로 변해버린 저는 여자들이 제게 조금만 잘해줘도 '특혜'로 받아들이게 됐습니다.

저는 줄곧 제 자신을 '이구아나의 딸'이라고 생각하고 그 생각에 갇혀 살아왔습니다. 하기오 모토

선생님의 명작 『이구아나의 딸』은 주인공이 엄마와 자기 눈에는 이구아나로 보이지만 사실은 꽤 미소녀라는 설정의 만화입니다. 저도 거울을 들여다볼 때마다 징그러울 만치 못생긴 추녀가 비치는 걸 봅니다. '그래도 이구아나보다는 낫지……' 하는 자그마한 위로와 함께 저는 '나도 누군가의 눈에는 어쩌면 미소녀로 보일지도 모른다'는 희망과 소망을 그 만화에 투영했습니다.

이런 제게도 딱 하나 소원이 있었습니다. 하루빨리 아줌마가 되는 것입니다. 젊음과 아름다움의 굴레에서 벗어나서 주부라는 자리에 털썩 주저앉아버린 여자들. 저도 빨리 그렇게 되고 싶었습니다. 그래서 그들처럼 '반경 2km 내의 안전한 세계에서 얌전하게 살고 싶다' 하고 은근히 아줌마들을 동경했습니다.

하지만 저 같은 여자가 결혼이라니, 절대 불가능한 일입니다. 애당초 저는 남자와 제대로 말을 섞어본 적도 없습니다. 그들은 저 같은 여자를 바보 취급하지 않고서는 살아갈 수 없는 역겨운 존재들입니다. 추녀를 대하는 남자들의 냉정함은 상상을 초월합니다. 유대인을 대하는 나치의 태도와 같다고 해도 될 정도입니다. 그렇게 생각하고 남자들을 멀리하기는 했지만, 한편으로는 이대로 평생 남자들을 피해 사는 것은 왠지 아닌 것 같다는 생각도 들었습니다.

그러던 어느 날, 팻보이 씨의 트윗 때문에 저는 단꿈을 꾸고 말았습니다.

팻보이 @fatboy
크리스마스에 자살하지 않도록 누군가 저 좀 만나주세요. 다만, 저 엄청 못생겼습니다ㅋㅋㅋ

팻보이 씨는 늘 키보드 워리어처럼 트윗을 올려서 평소에도 호감이 있었는데, 그는 항상 자기 외모에 대한 얘기는 교묘하게 피했습니다. 그래서 자기가 엄청 못생겼다고 한 이 트윗이 농담이 아니라 진담 같다는 생각이 들었습니다.

실제로 만나보니까 정말 그랬습니다. 얼굴을 보자마자 '이 사람 진짜 못생겼구나' 하는 생각이 들었습니다. 그리고 그와 동시에 저는 매우 안심했습니다. '이 사람이라면 내 마음을 다 드러내도 괜찮을지 몰라. 키스하거나, 스킨십을 하거나, 같이 잘 수 있을지도 몰라.'

　12월의 비 내리는 금요일 밤, 우리는 카페 창가 자리에 앉아 어색하게 인사를 나눈 뒤 누가 먼저랄 것도 없이 얘기를 꺼내기 시작했습니다. 이런 얼굴로 태어나버렸기에 그동안 겪어야만 했던 수많은 고통을 숨 가쁘게 털어놓았습니다.
　그 역시 지독한 이지메를 겪은 사람이었습니다. 중학교 점심시간, 같은 반 친구에게 래리어트(프로 레슬링에서, 상대의 목이나 뒤통수를 팔로 후려치는 기술 ― 옮긴이)를 맞고 실신해서 복도에 오줌을 싸버린 에피소드 같은 건 제가 겪은 이지메와는 폭행의 차원이 달랐습니다. 연애편지를 받고 약속된 장소에 갔더니 같은 반 여학생들이 한데 모여 기다리고 있어서 큰 웃음거리가 되었다는 얘기를 듣고서는 정말 그를 동정하지 않을 수 없었습니다. 그 일이 트라우마로 남아서 그는 여자 공포증이 생겼다고 했습니다. 대학교에 합격해서 도쿄로 올라왔는데도 친구들에게 여전히 바보 취급받고, 아르바이트 하는 곳에서는 죽어라 욕만 먹는 왕따, 유흥업소 언니들조차 싫어하는 티를 팍팍 내는 존재, 그래서 자존심은 자동차에 깔린 빈 깡통처럼 완전히 납작하게 찌그러진……. 그런데도 그는 그런 삶에서 뭔가 중요한, 살아가는 요령을 배운 사람처럼 보였습니다. 아마 그건 제가 살아오면서 쥐어짜낸 요령과 같은 것. 그래요. 그냥 웃어버리는 겁니다. 어차피 결국 웃을 수밖에 없으니까요.

너무 괴로워서, 너무 비참해서, 그는 마침내 모든 걸 다 받아들인 사람처럼 껄껄 웃으며 좋은 기억 하나 없는 자기 과거를 전부 이야기해주었습니다. 그의 입에서 끝도 없이 흘러나오는 찌질하고 어처구니없는 에피소드들을 듣는 동안 어찌나 웃어댔던지, 저는 그만 눈물을 뚝뚝 흘리고 말았습니다. 그러다가 어느덧 웃음이 사라지고, 정신을 차려보니 우리는 함께 엉엉 울고 있었습니다.

폐점 시간 때문에 카페에서 쫓겨난 우리는 갈 곳 잃은 고양이처럼 공터에 가서 서로를 부둥켜안고 하늘을 올려다보았습니다. 둘이서 아기처럼 울면서 침과 콧물로 흠뻑 젖은 서로의 얼굴을 맞대고 그동안의 인생을 위로해주듯이 키스를 했습니다. 몇 번이고, 몇 번이고, 몇 번이고.

저는 그의 기름기 많은 머리카락 사이로 손가락을 넣어 머리가 닳도록 쓰다듬어 주었습니다. 그도 여드름투성이인 제 양 볼을 손바닥으로 감싸고 미키마우스가 미니마우스에게 하듯이 쪽쪽쪽 앙증맞은 키스를 몇 번이나 했습니다. 오므라진 입술에서 하트가 떨어져 나와 둥실둥실 하늘에 떠오를 것만 같은 그런 키스였습니다.

이렇게 해서 세계에서 가장 못생기고 세계에서 가장 서로 사랑하는 커플이 탄생했습니다.

그와 나 사이에 기적이 일어난 것입니다.

서로 딱 맞는 상대와 만나 연인 사이가 되어, 키스하고, 데이트하고, 아파트에 틀어박혀 온종일 섹스를 하고, 때로는 다투고, 셀 수 없을 만큼 많은 멋진 추억을 만들며, 지금까지의 추한 인생을 다 잊을 정도로 행복한 날들을 보냈습니다.

2년.
그래요. 그날부터 2년이 지났습니다.
그와 처음 만났던 카페에서 작별 인사를 하면서 저는 '아, 세상이 디즈니 영화 같다면 얼마나 좋을까?' 하고 생각했습니다.
왜 현실에서는 해피엔드로 끝나는 결말이 없는 걸까요? 우리가 살아 있는 한, 문제가 꼬리에 꼬리를 물고 이어집니다. 한 가지 일이 잘 풀렸다고 생각하는 순간, 무언가가 발밑을 걷어차서 또 다른 문제에 부닥치고 맙니다. 인생은 그런 일의 무한 반복입니다.

팻보이 씨와 저는 언제부터인가 서로를 연애의 첫걸음으로만 여기게 됐습니다. 마치 약삭빠른 여고생이 고교 시절의 남자 친구와 결혼까지 골인한다는 건 무리란 걸 처음부터 알고 있는 것처럼. 그저 거창하게 남녀 교제의 예행연습을 하는 것 같은 기분이었습니다.

저도 누군가에게 이성으로서 인정받고 싶은 마음이 머릿속에 가득 차 있었고, 그건 그 사람도 마찬가지였지만, 그는 점점 저 같은 추녀가 애인이라는 사실을 창피하게 생각했습니다. 그런 생각은 그의 태도에서 충분히 알 수 있었습니다. 그리고 그건 제가 도저히 용서할 수 없는 일이었습니다.

다시는 애인이 생기지 않을지도 모른다는 끔찍한 공포를 떨쳐버리고 저는 말했습니다.

"그럼, 안녕."

추위에 몸을 움츠리면서 우리는 서로 다른 방향으로 걷기 시작했습니다.

걸으면서 저는 깨달았습니다.

만약 또다시 누군가와 사랑에 빠진다고 해도 그와 처음 만난 그날 밤처럼 둘이서 완벽하게 마음을 나누고, 남의 눈길에도 거리낌 없이 서로를 끌어안고 울고 키스하는 일은 두 번 다시 일어나지 않을 거라고. 그런 순간은 인생에 딱 한 번밖에 없다고.

그래도 괜찮습니다.

저는 얼굴을 들고 계속 걸었습니다.

캄캄한 거리의 유리창이 가로등과 신호등의 빛을 반사하면서 12월의 풍경을 거울처럼 비추고 있었습니다.

빨강 신호등 앞에 멈춰 선 저는 가게 유리창에 살짝 다가가서 제 얼굴을 똑바로 바라보았습니다.

못생겼다고 생각했습니다. 2년 전보다 아주 조금 여드름이 없어지긴 했지만 그런 건 작은 위안일 뿐, 근본적으로 나는 역시 못생겼구나 하고 다시 한번 깨달았습니다. 하지만 저는 그냥 추녀가 아닙니다. 훌륭하고 자랑스러운 추녀입니다.

"사요짱은 예뻐. 사요짱은 추녀가 아니야. 정말이야."

저는 유리창 안에 혼자 서 있는 그녀에게 그렇게 말해주었습니다.

옛날이야기를 들려줘

할머니는 TV에서 배우 아와시마 치카게의 건강한 모습을 보면 매우 기뻐하신다. "아와시마 씨 기모노 정말 멋지구나" 하며 마치 평소에 잘 아는 사람을 대하듯이 이름 뒤에 '씨'를 붙여서 부른다. 할머니는 좀 이상하게 보일 정도로 TV와 가깝게 지낸다. 거의 TV에 빠져들어 대화를 나눌 기세다.

무거운 듯 리모컨을 조작하는 할머니 손등은 마른 나뭇가지 같다. 피부에는 드문드문 갈색 반점이 생겼고, 할머니의 몸은 나도 가뿐하게 들어 올려 안을 수 있을 정도로 가냘프고, 머리는 솜사탕처럼 부슬부슬하고 하얗다. 이렇게 노화가 심하게 진행

되긴 했지만, 몸 구석구석 다 깨끗하고 우유 비누 향 같은 좋은 냄새가 난다. 여든을 넘긴 지 몇 년이 지나서 할머니는 또 한 단계 나이가 든 듯하다. 이 젠 정말 파이널 스테이지인 걸까, 인간이 이보다 더는 늙을 수 없지 않나 하는 지점에 와 있다.

스무 살 여름방학은 할머니하고만 보냈다.
할머니는 할아버지를 저세상으로 먼저 보낸 뒤 쭉 혼자 살고 있다. 우리 가족이 함께 살자고 제의 하기도 했지만 할머니는 거절했고, 혼자 사는 생활을 꽤 즐기시는 것 같다. 할머니 집 근처에는 할머니 친구가 많았다. 수명이 다한 할아버지들이 차례 차례 하늘나라로 떠나서 언제부터인가 할머니들만의 동심원이 만들어지고 있었다. 할머니는 누구의 눈치도 보지 않고 스스럼없이 사는 생활을 즐기셨고, 열심히 수다를 떨면서 병치레 한 번 하지 않고 꽤 잘 살아오셨다.

그런데 최근 몇 년 사이에 오래 건강하게 사셨던 친언니가 죽고, 여학교 시절 친구가 죽고, 사이좋게 지내던 같은 동네 미요시 씨도 입원해버리자 할머니는 마침내 말벗이 다 떨어져서 쓸쓸하신 듯하다.

엄마는 장을 보고 청소하고 마당 풀숲을 관리하는 등 자잘한 집안일을 도와주느라 할머니 댁에 자주 얼굴을 내밀기는 하지만, 볼일이 다 끝나면 차 한잔 마시지 않고 돌아간다. "너희 할머니, 나한테는 딱딱한 소리만 하니까" 하며 매정하다. 친딸을 매정하게 대하는 건 엄마도 할머니와 마찬가지여서 아무것도 할 게 없는 시골에 일부러 돌아와서 밤낮으로 축 늘어져 있는 나에게 엄마는 매우 차갑다.

그래서 나는 마음 내킬 때마다 자전거를 타고 할머니 댁에 놀러 갔다. 할머니도 "올여름에는 삿짱이 있어서 즐거워"라고 말해주었다.

물론 대화가 잘 통한다고는 할 수 없고, 나라는 사람은 함께 있다고 그다지 즐거운 유형의 인간은 아니지만, 그래도 나는 할머니를 즐겁게 해드리기 위해 꽤 애쓰고 있다. 할머니가 좋아하실 만한 건강 관련 잡지를 사다 드리고, 우리 집에서는 이제 안 쓰는 DVD 플레이어를 가져가서 TV와 연결

해 놓고 DVD 대여점 '게오'에서 다섯 장에 1000엔
하는 옛날 영화를 빌려 가거나 한다. 할머니는 좀
수동적인 편이라 내가 무엇을 빌려와도 좋아하신
다. 모리시게 히사야 주연의 「역전(驛前)」 시리즈
도 크레이지 캣츠의 영화도 "아~ 그립네" 하고 눈
을 가늘게 뜨고 눈부신 듯이 보고 있다.

그렇지만 할머니가 가장 좋아하는 건 하라 세츠
코(일본의 여자 배우. '영원의 소녀'라 불리며 일본 영화
의 황금시대를 구가했다. 1963년 은퇴 후 2015년에 세
상을 뜰 때까지 은둔생활을 했다 — 옮긴이)가 나오는
영화다.

특히 오즈 야스지로 감독의 「늦봄」과 「초여름」
을 사랑하신다. 할머니는 방울 물림쇠가 달린 돈지
갑에서 5000엔짜리 지폐를 꺼내고서는 "저기, 삿
짱. 하라 세츠코 씨가 나오는 「늦봄」이랑 「초여름」
좀 사다 줘" 하고 나를 물고 늘어졌다. 그 후에 나는
'게오'에 DVD 빌리러 다니는 일을 그만두고 DVD
두 장을 사 왔고, 할머니는 그 두 영화만 반복해서
보고 계신다.

하라 세츠코는 어느 영화에서든 시집가는 것을 완강히 거부해 류 치슈(일본의 남자 배우. 오즈 야스지로 감독의 영화에 아버지 역할로 자주 나왔다 — 옮긴이)를 곤란하게 하는 역할로 나온다. 나도 시집인지 뭔지를 가고 싶지 않기 때문에 "화이팅!" 하고 세츠코를 응원하지만, 언제나 세츠코는 류 치슈를 비롯한 주위 사람들의 설득에 못 이겨서 마지못해 시집간다.

"노리코 씨도 벌써 스물일곱 살이죠. 이제 시집가야지."

내가 나이 든 목소리로 스기무라 하루코의 흉내를 내자,

"어머 삿짱 잘하네!"

할머니는 손뼉을 치면서 소리를 내서 웃었다. 좀처럼 웃는 일이 없는 할머니였지만, 이때만큼은 정말로 우스워하시는 것처럼 보였다.

할머니는 하라 세츠코가 아직 살아 있고, 올해 아흔 살쯤 된다고 말했다. 할머니 말에 따르면, 하라 세츠코는 오즈 야스지로 감독의 장례식에 참석한 것을 마지막으로 40대에 영화계에서 은퇴하고,

오래도록 가마쿠라에서 은둔 생활을 하고 있다.

"정말?! 굉장해. 진짜로 굉장해."

이 세상 이야기가 아닌 듯한 사연도 나를 흥분시켰지만, 그녀가 지금도 살아 있다는 사실 그 자체가 특히 내 가슴을 쳤다. 흑백영화 영상에 남아 있는 이 아름다운 사람이 지금도 세상 어딘가에서 숨 쉬고 있다. 이 사람의 몸이 아직 따뜻하다는 거다.

할머니 집의 TV는 작은데 탁자는 아주 크다. 매일 아침 할머니는 그 큰 탁자에 지방신문을 펼쳐 놓고, 돋보기안경을 쓰고서 열심히 부고란을 훑어보신다. 병상에 있는 같은 동네 친구 미요시 씨의 생존 여부를 그렇게 확인하고 있다. 내가 "병문안을 가 보면 좋을 텐데"라고 말하면, 할머니는 그렇게 주제넘은 짓은 하고 싶지 않다며 거절한다.

내가 방석에 털썩 주저앉아 과자 그릇에 담긴 쌀과자 비닐 포장을 뜯으면서 TV 시간표를 보는데, 신문 하단의 광고에 예사롭지 않은 몸짓으로 납작 엎드려 걷는 나카요 타츠야의 모습이 보였다.

"저기, 할…… 할머니!「하루와의 여행」이래."

"드라마?"

"아니, 영화. 아, 아와시마 치카게도 나오잖아!"

"엣!? 진짜!?"

할머니는 내게서 신문을 뺏더니 돋보기안경을 쓰고 눈을 찡그렸다.

"아이고, 아와시마 씨, 아직도 영화에 나오시네……."

문화면에는 그 영화의 조그만 소개 기사가 실려 있었다. 소규모 상영인데도 중장년층을 중심으로 인기가 높아서 드디어 이번 주 토요일부터 이 지역에서도 상영된다고 한다.

"가고 싶어?" 하고 내가 묻자,

"…… 가고 싶어."

할머니가 수줍은 처녀처럼 볼을 붉히며 대답해서 나는 나도 모르게 할머니를 와락 껴안아주고 싶어졌다.

하지만 할머니가 시내에 나가는 건 체력적으로 꽤 힘든 일이다. TV에서는 혹독한 더위로 누군가가 쓰러져서 병원에서 사망했다는 뉴스가 연일 보도되었다. 나는 날씨와 대중교통 시간표, 영화 상영 시간 등을 꼼꼼히 조사했지만, 그래도 혹시나 할머니가 도중에 일사병으로 쓰러지면 어쩌나 하고 걱정이 되어서 영화관에 가기 전날 밤에는 잠을 거의 못 잤다. 나는 외동딸이라 사람을 돌보는 게 서툴다.

아침 아홉 시에 모시러 가니까 할머니가 마루 귀틀에 앉아 검은색 안전화 끈을 꽉 묶고 있었다. 할머니는 리본 달린 헤어네트로 머리를 동그랗게 묶고, 하얀 가죽 핸드백을 가느다란 팔뚝에 걸치고 현관을 나서자마자 노란색 레이스 양산을 활짝 폈다.

사뿐사뿐한 발걸음으로 버스 정류장까지 걸어가서 버스를 타고 지방철도 무인역까지 가서 전철을 타고 터미널역에서 시영 전철로 갈아타야 한다. 오전인데도 버스 정류장은 무더운 열기로 가득했다. 정수리가 달궈진 프라이팬같이 뜨거웠다. 나는 가지고 온 '아쿠아리스'를 할머니에게 내밀었다.

"아, 난 괜찮아. 목마르지 않으니까."

단칼에 거절하는 할머니.

"안 돼! 잘 챙겨 마시라고! 노인은 더위에 둔감해서 덥다고 느끼기도 전에 일사병이 나서 푹 쓰러져 죽어버린다고 뉴스에서 몇 번이나 말했잖아! 그렇게 매일 몇 시간씩 TV를 보면서 왜 중요한 건 잊어버리는 거야!"

"아……. 음, 그렇지만 그 물 좀 달지? 나는 단 건 좀 별로라……. 그냥 맹물이 좋아."

"물만 가지곤 안 된다니까! 염분이 들어 있어야 한다고! 물은 땀으로 바로 흘러나와 버리잖아!"

나는 가방을 뒤적거리면서 혹시나 해서 예비로 챙겨온 생수 '롯코의 맛있는 물'과 소금에 절인 다시마를 꺼냈다.

"에……? 이런 데서 소금에 절인 다시마라니 꼴불견이야……."

"그럼 아쿠아리스 마시든가요."

둘이서 아웅다웅하는 사이에 전철이 도착. 출입문이 활짝 열리고, 은색 난간을 움켜쥐고 엉겁결에 뛰어올라 탄 할머니는 무릎이 약해서 비틀비틀 넘어질 듯이 긴 의자에 걸터앉더니 마라톤을 완주한 사람처럼 환희의 표정을 지으며 "아~ 시원하다. 천국이네, 천국" 하고 웃었다.

할머니는 시영 전철을 타고 창밖을 바라보면서 이 역 건물 자리에 원래 장터가 있었다거나, 여기 있었던 백화점이 언제 없어졌다거나, 저기 있었던 호텔에서 당신 어머니가 상견례를 하셨다거나, 여기 벚꽃은 참 예뻤다거나 하는 옛 시절 이야기들을 아무 생각 없이 떠오르는 대로 중얼거렸다.

시영 전철에서 내려 시내 중심의 상점가를 걸었다. 지금은 완전히 쇠락해서 셔터를 내린 가게만 가득한 거리가 되어버렸지만, 할머니는 아직 젊었을 때의 일을 잘 기억하고 있어서 지금과 달랐던 이 거리의 옛 모습들을 나에게 알려주었다. "여기에는 양품점이 있었어, 저기에는 나막신을 잘 만드는 신발 가게가 있었어"라고 말하면서 할머니는 손가락으로 이곳저곳을 가리키며 걸었다. 당시는 끊임없이 사람이 오고 가는 아주 활기찬 거리였단다. 마음을 설레게 하는 그 시끌벅적한 소리가 지금도 귓속에 남아 있단다.

할머니는 지치지 않고 계속 이야기했다. 다 쓰러져가는 파친코 집을 가리키며, 이곳은 옛날 '다이에

이' 영화관이었다고 유별나게 그리운 듯 말했다.

"다이에이라면 그 다이에이 슈퍼마켓?"

할머니는 고개를 흔들며 "다이에이 영화사(大映映畵社) 말이야" 하고 말했다. 그 극장에서 본 이리에 타카코의 아름다움에 대해 지금도 눈에 선하다는 듯 말했다. "야마다 이스즈나 고구레 미치요, 타카미네 히데코 같은 배우가 나오는 전쟁 전의 영화가 특히 좋았어"라고 말할 때는 목소리에 생기가 돌았다. "원래 여학교에서는 영화 보러 가는 게 금지되어 있었지만" 하고 말해서 "불량 학생이었구나!"라고 놀리니까 할머니는 흐흐흐 하며 웃었다.

「하루와의 여행」을 상영하는 영화관은 계단을 올라가야 하는 건물의 2층에 있었다. 연지색 리놀륨이 온통 까맣게 얼룩지고, 알루미늄으로 된 미끄럼 방지 턱은 벗겨져서 너덜너덜해지고, 돌로 만든 난간은 놀라울 정도로 차가웠다. 로비는 어둑어둑하고 곰팡내가 났다.

"많이 붐비네."

나는 할머니에게 귓속말을 했다. 붐빈다 해도 수

십 명 정도였지만.

표를 사 들고 극장 문을 통과해 작은 로비로 들어서자 상상도 못했던 높은 천장과 멋진 공간이 나타났다. 붉은 벨벳 장식의 나무 의자가 콘크리트 바닥에 가지런히 늘어서 있고, 벽면에는 비상구 등과 '세이코' 시계, 그리고 스크린 양쪽 가장자리에는 금실 송이가 붙은 짙은 붉은색 단장이 드리워져 있다.

"뭐야? 여기 대단한데⋯⋯. 이런 곳이 있었구나."

나는 두리번거리면서 마구 사진을 찍었다.

할머니는 뻣뻣한 의자에 허리를 꼿꼿이 편 채로 무릎 위에 핸드백을 움켜쥐고, 이제 곧 높은 사람의 연설이라도 들을 듯한 표정으로 앉아 있었다. 신호음과 함께 조명이 꺼지면서 영화가 시작됐다.

그 영화에 완전히 감동한 할머니에게 나는 영화 촬영지 순례를 제안했고, 엄마까지 함께 셋이서 영화 속 나루코 온천에 가거나 하면서 바둥바둥 여름을 보냈다. 할머니는 나루코 온천에서 이끼 식물을 마구 사들였고, 누구보다도 식욕이 왕성했다. 내가

목욕을 마치고 방에서 쉬고 있는데도, 나는 안중에
도 없이 혼자서 별의별 온천탕에 다 들어가 보는
등 엄마와 내가 감당하기 힘들 정도로 건강했다.

그랬기 때문에 그해 겨울 엄마한테 전화가 걸려
와서 할머니가 조만간 양로원에 가게 될지도 모른
다는 말을 들었을 때, 나는 무슨 말인지 잘 이해가
안 됐다.

"미요시 씨가 돌아가셨어." 엄마가 말했다.

"그래서 말이야, 할머니가 이번에 제대로 충격을
받았나 봐······."

자기 집에서 하는 전화라 누가 들어도 곤란한 일
이 없을 텐데, 엄마는 목소리를 낮추고 "너도 이제
어른이니까 말하지만" 하고 전제를 깔았다.

"할머니 말이야. 지금 정신과에 다니고 있어."

"······ 우울증이야?"

"아니야."

"치매?"

"그것도 아니지만······" 하고, 엄마는 말끝을 흐
렸다.

"저기 있잖아. 이거 비밀이야. 할머니가 아무래도 자기를 하라 세츠코라고 생각하는 것 같아."

"어? 뭐, 뭐야. 무슨 뜻인지 모르겠어."

"나도 잘은 모르지만……."

엄마는 할머니가 말하는 방식, 목소리, 조그만 몸짓 하나까지 하라 세츠코로 완전히 바뀌어버렸다고 말했다.

의사는 치매나 정신 질환이라기보다 유명 인사가 되어 마음의 평안을 얻으려는 것일 수 있다는 애매한 진단을 내렸다. '의인화(impersonate)'라는 진단인데, 안면 모사를 하는 연예인이나 모창 가수에 가까운 상태일지도 모른다. 할머니는 자기를 하라 세츠코라고 생각함으로써 자존감을 유지하고 매일매일 생활을 지탱하고 있는 게 아닐까.

"그래! 그런 일이 있기도 해! 나도 고등학생 때, 내가 릴리 앨런이라고 생각하지 않으면 도저히 못 살 것 같을 때가 있었어."

"잉~? 네 정체성 문제와 할머니의 인격 장애는 전혀 다른 문제지……."

어차피 계속 혼자 사시는 것도 위험하고, 자칫하

면 이대로 치매로 이어질 가능성도 있다. 그렇게 되면 앞으로 엄마 혼자 할머니를 보살피기 힘들어진다. 엄마는 할머니를 서둘러 양로원의 입주 대기자 명부에 등록했다고 말했다.

그 후 생각보다 빨리 대기자가 빠져서 12월에 할머니는 요시다 양로원 그랜드 팰리스 503호실 사람이 됐다.

연말에 귀성했을 때 할머니 문병을 갔다.

건물은 외관도 내부도 아주 깔끔하고 청결했지만, 한편으로는 무료하고 헛헛했다. 파이프 의자에 앉아 아무것도 하지 않고 허공을 바라보는 할아버지, 튼실한 간병인이 수저로 떠주는 음식을 받아먹는 무기력한 노파를 보니 괜스레 가슴이 미어져서 눈물이 났다. 엄청난 허무감이 건물 안을 가득 채우고 있다는 느낌 때문에, '대단한 곳에 와버렸구나' 하고 솔직히 나는 꽤 초조해졌다.

하얀 철제 미닫이문을 열자 할머니는 옷을 단정히 차려입고 침대 위에 오도카니 앉아 이동식 탁자

위에 신문을 펼쳐놓고 있었다.

"세츠코 씨 안녕하세요? 건강은 어떠십니까?"

엄마는 이미 하라 세츠코 라는 설정에 꽤 익숙해
져 있어서, 갑자기 스위치가 켜진 듯이 계속 말을
꺼냈다. 할머니라고 부르면 불같이 화를 낼 테니
반드시 세츠코라 불러야 한다고 내게도 미리 못을
박았다.

"흐흐, 고마워. 좋아요. 오늘은 정말."

코맹맹이 소리가 너무 가련해서 나도 모르게 섬
뜩해졌다. 그건 내가 아는 할머니의 목소리가 아
닌, 지난여름에 질리게 본 오즈 야스지로 감독의
영화 속 하라 세츠코의 목소리와 한없이 닮아 있었
다. 나는 속으로 '잘하네!' 하고 생각했다.

"세츠코 씨가 기억할지 모르지만, 이 아이는 제
딸, 사치코예요."

"아! 삿짱. 삿짱이지?!"

할머니는 환희의 목소리를 높인다.

"삿짱, 차 드세요. 여기, 찻집이 있어요. 꽤 좋은
곳이에요. 자, 가시죠!"

하라 세츠코의 목소리로 발랄하게 말하는 할머

니를 보고 나는 꽤 당황했다.

"네, 네!"

할머니는 마른 나뭇가지 같은 손으로 내 두 손을 꼭 감쌌다.

"예⋯⋯. 예, 그래요. 자, 갑시다."

슬쩍 엄마에게 눈길을 주자 '그 느낌!'이라고 엄마도 눈짓으로 신호를 보내왔다.

그곳은 찻집이라고 하기에는 좀 애매한 휴게실이었다. 벽에는 커다란 모자를 쓰고 우울한 얼굴로 턱을 괴고 있는 여자를 그린 장 피에르 카시뇰의 그림과 꽃 그림 액자가 걸려 있었다. 자판기에 음료를 뽑으러 갔을 때, 한쪽에 놓인 1960~1970년대 분위기의 작은 소품들이 눈에 들어왔다. 「하와이 말레이 해전」, 「7인의 사무라이」 포스터가 벽에 붙어 있었고, 테이블 위에는 죽방울과 너덜너덜해진 소녀잡지, 여자아이 인형, 전함 모형이 있었다. LP판이 올려져 있는 턴테이블을 만지작거리자, 지지직⋯⋯ 거리는 소리와 함께 「세계의 나라에서 안녕하세요(1970년 일본에서 열린 오사카 만국박람회의

테마 곡 ─ 옮긴이)」가 흘러나왔다.

"뭐야 이거……."

너무나 현실과 동떨어진 광경에 겸연쩍어서 씩 웃음이 나왔다.

"치매 환자를 위한 거야." 엄마가 말했다.

"옛날 물건을 보거나 만지면 여러 가지 추억이 되살아나고, 뇌가 자극되어서 치매가 개선된대."

"왜? 그거 도대체 어떤 메커니즘인데?"

"그건 모르지만. 근데 뭔가 알 것 같은 느낌이 들지 않아? 오래된 영화를 본다든가 그리운 음악을 들으면 단번에 그때로 되돌아가잖아."

"그래?"

"삿짱은 아직 그런 거 모르는구나?"

휴게실로 돌아오니 가운데 테이블에 할머니가 조그만 몸집으로 풀이 죽어서 앉아 있었다. 그 모습을 멀리서 보다가 너무나 안타까워져서 서둘러 달려가서 기다리게 해서 미안하다고 사과했다. 할머니는 껄껄 웃으시고는,

"삿짱이 와줘서 너무 기뻐요"라고 말했다.

"삿짱과 함께 있으면 즐거우니까."

"…… 저도요" 하고 나는 어색하디 어색한 웃음을 지어 보였다.

"저기, 들었어요? 이 사람 결혼했대요."

할머니는 엄마를 마치 타인처럼 대하면서 나에게 말했다. 영화 속에서 하라 세츠코가 결혼한 동창들을 상대로 신나게 비난하는 장면이 오버랩되었다.

"어머나, 세츠코 씨도 빨리 시집가버려요."

엄마는 익숙해졌는지 자연스레 박자를 맞췄다.

할머니가 말했다. "치……. 삿짱, 이 사람 말이죠, 우리 집에 와도 곧 자기 집에 가버려요. 남편 식사를 챙겨줘야 한다나요. 아 정말 싫어. 다들 결혼하면 남편, 남편 하고……. 삿짱, 우리는 혼자라서 즐겁죠. 그죠?"

"아, 네……. 음. 그렇지만 저 사귀는 사람 있는데요?"

"정말이니?" 엄마가 옆에서 확 끼어들었다. 할머니는 계속 말했다.

"결혼은? 생각하고 있어요?"

"아니요. 설마! 결혼할 마음 전혀 없어요. 하고

싶지도 않고요."

"모두 처음에는 그렇게 말해요. 하지만 곧 마음이 바뀌어서 시집을 가버려요."

"그렇지 않아요." 나는 저항했다. "저는 시집 안 가요."

"갈 거야. 삿짱도 시집갈 거야."

"절대 안 가요."

"…… 시집가면, 학교 때 친구 같은 건 전혀 만나지 않게 되어버린다니까. 쓸쓸한 일이야. 응. 삿짱. 만약 결혼하더라도 우리 다시 이렇게 만나요."

"네. 또 올게요."

"정말? 만나러 와줄 거지?"

"응."

"꼭."

"응."

돌아오는 차 안에서 엄마는 내게 고맙다고 말했다. "저런 데는 젊은 사람들한테는 좀 힘들지?"

나는 그다지 감수성이 풍부하다거나 섬세한 사람은 아니지만, 신경이 좀 예민한 편이긴 하다. 너

무 쉽게 마음이 무너지고, 자주 상처받는다. 요시
다 양로원에서 받은 충격을 딛고 일어서는 데도 아
마 사흘은 걸릴 것이다.

"삿짱, 지난여름에 할머니를 많이 보살폈으니,
저런 모습 보는 게 더 힘들겠지."

"응. 할머니 불쌍했어."

"뭐, 그래도 네가 생각하는 만큼 할머니는 자기
를 불쌍하다고 생각하지 않으시니까 괜찮아."

"어떻게 알아?"

"당연하잖아. 삿짱이 느끼는 방식과 할머니가 느
끼는 방식은 전혀 다르니까."

"그래?"

그럼 할머니는 내가 느꼈던 기분을 맛보지 않아
도 되는 건가?

엄마는 걸쭉한 목소리로 대답한다.

"나이를 먹으면 신경이 점점 둔감해지고 무감각
해져서 자기가 좋아하는 방식으로밖에 사물을 보
지 않게 되는 거야."

"그런 거야?"

"그렇다니까. 사람은 그렇게 만들어진 거야."

조금 의미가 다를지도 모르지만, 나는 지난여름 나루코 온천에 갔을 때를 떠올렸다. 무심코 들어선 찻집이 할머니와 내가 함께 본 영화의 촬영 장소였고, 더구나 벽에는 그 영화의 주연배우 나카요 다츠야가 쓴 휘호와 아와시마 치카게의 사인이 걸려 있었다.

그것을 발견한 사람은 나였다. 할머니가 진짜로 기뻐할 거라고, 숨 가쁘게 달려가 알려주었는데도 할머니는 감격해서 펑펑 눈물을 흘리기는커녕, "달필이구나" 하고 짧게 감탄할 뿐, 별다른 반응을 보이지 않았다. 만약에 나라면, 내가 사토 타케루의 사인을 발견한다면 흥분해서 사진을 마구마구 찍었을 텐데. '아와시마 치카게 때문에 이 먼 나루코까지 왔으니까, 좀 더 기뻐해!' 하고 생각했지만, 그걸로도 충분했는지 몰라.

나이를 먹는다는 건 얼마나 슬픈 일인가. 그리운 일이 많아지면 얼마나 가슴이 아플까. 나는 앞으로 점점 둔해지고 무감각해져서 무얼 봐도 마음이 콩닥콩닥 뛰지 않는 돌 같은 노인이 되고 싶다. 외롭다거나 슬프다거나 쓸쓸하다거나 그런 감정을 느끼는 마음의 주름들이 모두 없어지면 좋겠다고 생각했다.

겨울방학이 끝나고 대학으로 돌아가기 전에 문병을 갔더니 할머니는 쿨쿨 낮잠을 주무시고 계셨다. 사실 나는 할머니의 안쓰러운 모습과 마주하는 게 힘들어서 할머니가 잠들어 있는 걸 보고 조금 안심했다.

휴게실에 들르자 쇼와시대(1926년 12월 25일~1989년 1월 7일 — 옮긴이) 코너에는 「군함 행진곡」이 흐르고, 깡마른 할아버지가 전함 모형을 만지며 절도 있는 말투로 말레이반도가 어떻고 수마트라 부대장이 어떻고 하며 떠들고 있었다.

"하사님의 눈을 피해 바둑에 빠져 있었던 건 접니다."

"…… 뭐? 그게 정말이냐?"

"처벌받아야 할 사람은 이이다 군이 아닙니다."

"너였구나!"

"하사님, 제발 용서해주십시오."

"좋아, 용서한다!"

할아버지의 말에 멀리서 내 맘대로 장단을 맞춰
주다가 엄마에게 그만두라는 핀잔을 들었다.

나는 '홍차카덴(일본 코카콜라사가 판매하는 홍차
음료 — 옮긴이)'을 마시면서, 나중에 내가 들어갈
양로원의 헤이세이시대(1989년 1월 7일~2019년 4월
30일 — 옮긴이) 코너에는 릴리 앨런의 CD와 사토
타케루가 나오는 드라마 DVD, 그리고 초등학교
때 좋아했던 모닝구 무스메의 책받침, 또 옛날에
썼던 피처폰이 있으면 충분하다고 생각했다.

어른이 되는 법

안나가 찾아낸 블로그가 완전 웃기다.

LINE 메신저로 여자 만나는 법이 올라와 있는데, 엄청 필사적으로 써놨다.

인터넷 만남의 장점은 돈 안 들고, 시간이 오래 걸리지 않고, 근처에 있는 애들과 쉽게 만날 수 있다는 거란다.

단점은 소통력 필수, 싼티 나는 애들이 많다(싼티 나는 여자가 많다고? 싼티 나는 건 이런 글 써대는 너 같은 놈들이거든?), 어린애들도 많다(범죄가 되어버릴 정도로), 진지한 만남은 없다(네 맘대로 단정하지 마!). 여자를 만날 수 있는 곳은 LINE 게시판과 여러 가지 소개팅 앱. 이렇게 다가가라, 저렇게 관심을 끌어라, 자연스레 연애 얘기로 몰고 가라, 통화해라 등 이것저것을 친절하게도 써놨다.

또라이 아니야?

이런 포스팅을 올릴 시간 있으면 선술집에서 알바라도 해라.

그런데 블로그에 광고도 많이 붙어 있고……. 이 사람은 이게 직업인가? 공들여 키운 아들이 이런 일로 밥 벌어먹고 있다니 걔네 부모님 인생도 참 허무하겠네. 이놈 저놈 다 공짜로 섹스하려고 하니 역겹고 바보 같아. 이 세상에는 조금이라도 발을 헛디디면 거꾸로 떨어져서 이상한 남자 놈들 먹잇감이 되게 만드는, 여자애 전용 덫이 사방에 널려 있다.

안나는 거꾸로 이 포스팅을 참고해서 가볍게 남자를 만나려고 하지만, 나는 그런 건 그만두라고 주의를 줬다. 조금만 생각해보면 절대 제대로 된 놈이 있을 리 없단 걸 알 수 있잖아. 백퍼 여자 몸이 목표겠지. 난 섹스해본 적 없어. 역사적으로 봐도 섹스를 해서 여자가 얻는 건 거의 없거든.

우리 엄마도 자주 하는 말인데, 아기 낳으면 인

생 끝장이래.

그런데 여자가 자진해서 덫에 걸리려고 다가가다니, 이놈이나 저년이나 모두 바보 같아. 공짜로 여고생하고 어떻게 한번 해보려는 쓰레기를 상대하다니, 안나가 너무 아까워. 안나는 러시아계 피가 섞인 진짜 예쁜 애고, 나만 해도 꽤 예쁜 편이다. 나도 안나도 혹시나 연예 기획사에서 스카우트 제의를 받지 않을까 하고 남몰래 생각하고 있고, 살짝 기대도 좀 하면서 하라주쿠에 가보았지만, 아무도 우리에게 말을 걸지 않았다.

뭐 그 시점에서 깨달아야 했을지도 몰라.

우리는 전혀 특별하지 않고, 그저 평범할 뿐이라는 사실을.

만약 패션모델 키리타니 미레이나 배우 타마시로 티나가 하라주쿠를 걷고 있었다면 스카우터들이 득달같이 달려들어서 연예계로 데려갔을 텐데. 그렇게 처음부터 스타가 되기 위해 특별한 별에서 태어난 사람도 분명히 있지만, 우리는 그런 별에서 태어나지 않았다. 기껏해야 일반인 모델 정도 할 수 있으려나? 아무튼, 그 현실을 좀 더 일찍 깨우치고 받아들였어야 했다. 그렇지만 그때는 미처 거기까지는 깨닫지 못해서, 안나가 내게 "그럼, 아리사는 어떤 남자랑 사귀고 싶어?"라고 물었을 때,

"음. 고야마 군도(일본의 방송작가. 각본가. 라디오 진행자. 1964년생 ― 옮긴이)라든가?"

하고 말해버렸다.

"아…… 정말?"

안나는 놀란 듯이 말하고,

"그런데 고야마 군도와 사귀고 싶은 이유가 뭐야?"라며 고개를 갸웃거렸다.

외모는 어른스러워도 안나는 아직 모른다.

고야마 군도가 매력 덩어리란 걸.

그와 함께 있으면 틀림없이 일주일 만에 나는 어른이 될 거야.

그래서 목소리를 높여

"전부!"

하고 딱 잘라 말했다. 물론 안나는 이해하지 못했지만.

"어휴, 아저씨잖아. 이상해."

안나는 소년 시절의 고이케 뎃페이(일본의 남자

배우·가수. 1986년생 — 옮긴이)처럼 작고 귀여운 애완동물 같은 남자 친구를 갖고 싶어 한다.

"아리사, 난 외국 피가 섞였으니까 분명히 빨리 늙을 거야. 귀여운 일본 남자애랑 사귈 기회는 백 퍼 지금밖에 없어."

안나의 눈빛은 이미 꽤 어른스러워서, 같은 반 남자들과 마주하고 있으면 안나가 남자들을 압도하고 있다는 느낌마저 든다. 그런 어린애 같은 남자들은 분명 안나를 연애 상대로 보지 않을 텐데.

안나는 어린애 같은 남자를 보면 '청춘~'이라는 생각이 들어서 기분이 좋다고 한다. 모두들 자기에게 어울리지 않는 것들만, 손이 닿지 않는 것들만 갖고 싶어 한다.

*

내가 자진해서 뛰어들었다고 말하긴 어렵지만, 어쨌든 나는 타쿠짱과 딱 만나버렸다. LINE이라든지 소개팅 앱이라든지, 그런 걸로 만난 게 아닌 것만은 확실하다. 이제 막 피처폰에서 아이폰으로 바꾼 타쿠짱에게 내가 LINE 앱을 깔아줬으니까. 가게 앞에서 이제 어디 갈까 하고 모두 우물쭈물하고 있을 때 나는 타쿠짱의 아이폰을 빼앗아 초고속으로 LINE 앱을 깔아줬다.

"아, 고마워."

타쿠짱은 검은 뿔테 안경을 끼고 검정 티셔츠를 입고 있었고 나이는 서른네 살이었다. 왠지 처음 봤을 때부터 완전 좋은 느낌이 들었다.

그때 근처에 있던, 인터넷으로 수십 번은 여자를 만나본 것 같은 찐따 바람잡이 회사원이

"이 녀석 무슨 디자이너가 전자 기기에 이렇게 관심이 없어."

하고 말했다. 디자이너라고, 흐음?!

내가 맘속으로 흥분해서,

"네? 정말 디자이너예요?"

하고 물어도 타쿠짱은 살짝 웃음만 지을 뿐, 우물우물하면서 대답을 얼버무렸다. LINE을 다운로드해서 아이디를 설정할 때 자연스럽게 알아낸 이름을 나중에 구글링해보았더니 정말 디자이너가 맞았고, 제대로 된 개인 스튜디오 홈페이지와 얼굴

사진이 들어간 프로필도 나왔다. 타마미술대학 졸업, 모 디자인 사무소의 모 씨에게서 실무를 배우고, 몇 년에 독립했다는 악력이 올려져 있었다. 그런데 거기에 가장 중요한 정보가 빠져 있었다. 여자 친구는 있나? 결혼은 했나? 설마…… 애도 있나? 뭐 그런 것들. 만약 모두 다 있다고 해도 상관은 없지만 말이야.

 오해하지 말아줬으면 하는 건, 내가 날마다 아저씨들이랑 소개팅하는 그런 정신 나간 여고생이 아니라는 거다. 정말로 놀면서 끔찍한 짓을 저지르는 건 나보다 좀 더 청순한 느낌의 아이들이니까. 2반 이소베 마야라는 애가 그렇다. 얼굴도 목소리도 완전 부러울 정도로 진짜 예쁘다. 그리고 사람을 유혹하거나 농락하는 짓도 취미처럼 하고 있지.
 "걔는 악마야."
 안나는 그 애를 완전 경계하고 있다.
 "악마라는 말은 좀 지나치지 않아?"
 "아니, 악마야. 진짜 악마는 예쁜 얼굴을 하고 있으니까."

안나는 세이케이대학이나 세이죠대학에 진학해서 아나운서가 되는 걸 목표로 하고 있기 때문에("나 같은 혼혈 얼굴이 필요한 곳은 거기밖에 없지 않아?") 이소베 마야 같은 아이에게 인생을 방해받을까 봐 두려운 것이다("걔는 꼭 아나운서에는 전혀 관심 없는 얼굴을 하고 있다가 취업 원서 낼 때 갑자기 지원할 것 같아").

뭐 그런 마음은 모두들 가지고 있다. 이소베 마야는 인생의 달콤한 부분(주로 남자에게서 받을 만한 것)을 전부 잡아채 갈 것 같은 여자애다. 그래서 이소베 마야에겐 진정한 친구가 없다. 그 아이에게 마음을 터놓아봤자 좋을 게 하나도 없다는 걸 모두 본능적으로 알고 있다.

다른 아이들이 자기를 그렇게 생각하고 있다는 걸 이소베 마야는 확실히 알고 있었다. 성격도 빈틈이 없었으니까. 이소베 마야는 얼굴만 예쁜 게 아니라 다른 사람의 마음을 장악하는 데도 능수능란했다. 시시껄렁한 잡담에 대꾸해준다든지, 가끔 귀여운 섹드립을 친다든지 하며 모두의 경계심을 녹이는 대화술을 구사한다. 그래서 그렇게 얼굴이 예쁘게 생겼어도 여자들 사이에서 미움을 받거나 따돌림을 당하는 일이 없었다.

이소베 마야가 자기에게 일어난 얘기를 들려주는 걸 들으면 즐겁다. 하지만 왠지 무서워서 오싹해지기도 한다. 이소베 마야의 눈은 놀라울 정도로 공허해서 '아이고, 이 아이는 앞으로 어떻게 살아도 채워지지 않는 게 있겠구나'라는 생각이 든다. 만약 아나운서가 되어서 서른 살 전에 프리로 전향하고 성공해서 자동차 광고에 나오는 유명인이 된다고 해도 완전히 채워지지는 않겠지. 이소베 마야는 아마 그런 애일 거야.

고3 여름방학, 학원에서 여름 특강을 들으며 수험 공부를 하고 있었는데, 이소베 마야가 있는 LINE 단톡방에 이런 메시지가 떴다.

이소베 마야: 지금 한가한 사람 없니?
이소베 마야: 직장인들이랑 단체 미팅 중
이소베 마야: 이 사람들 돈 많으니까 왕창 얻어먹을 수 있어

이소베 마야: 여고생은 전부 공짜!

이소베 마야: 와, 빨리 와~

계속 뜨는 메시지를 나는 나에 대한 도전장처럼 받았다.

올여름에는 7월 말에 같은 반 여자애들과 '서머랜드'에 한 번 갔을 뿐, 그 외에는 아무것도 하지 못했다. 수험생이라 멋진 추억 만들기 경쟁 같은 걸 할 생각은 없었지만, 그렇다고 해도 좋은 추억 하나쯤 만들지 못한 채로 여름을 보내버리는 건 조금 섭섭하다.

이소베 마야: 2차로 노래방 갈지도~

이소베 마야: 자기들이 쏜대!

LINE 스탬프가 몇 개나 연달아 떴다.

나는 생각했다. 열일곱 살의 여름이니까 어른과 밤놀이 정도는 해봐야지. 이런 권유에 기쁘게 응할 정도는 되어야 하지 않나.

정신을 차려보니,

나: 나 갈게

하고 메시지를 보내고 있었다.

내가 자전거로 가게 앞에 도착하자,
"아리사~ 여기야. 여기"
하고 2반 아이가 손짓으로 불러서 모두에게 나를 소개했다.

멤버는 2반 아이 셋과 모르는 여자애 하나와 나. 남자는 모두 이제 막 아저씨가 된 듯한 모습들이었다. 몇 살인지는 조금 가늠하기 힘들었다. 남자 어른이랄까, 역시 아저씨가 맞다. 그들은 같은 중학교 동창으로 어른이 되어서도 가끔 모여서 술을 마신다고 했다.

내 얼굴을 보고는
"오~ 예쁘다~"
"아리사라고 불러? 본명이니?"
한꺼번에 여럿이 말을 걸어와서 순식간에 내가 주인공처럼 되어버렸다.

잠깐 동안 이런저런 질문에 대답하고 있는데, 무

료한 느낌으로 서 있는 타쿠짱의 모습이 눈에 들어왔다.

다른 사람은 대개 정장 차림이었는데, 타쿠짱은 완전 캐주얼하고 멋진 분위기.

"뭐 하세요?"

하고 내가 말을 걸었다.

"어, LINE은 어떻게 하면 되는 거야?"

"네? LINE 안 하시나요?"

"어. 아이폰을 오늘 샀으니까."

그래서 나는 타쿠짱의 아이디를 겟한 거야.

첫눈에 '타쿠짱 참 괜찮네' 하고 생각했기 때문에, 노래방에 갔을 때도 타쿠짱 바로 옆에 앉았다. 다른 아이가 보컬로이드의 곡 번호를 입력하자 아저씨들은 신이 나서 "뭐야!", "대박!" 하며 흥을 돋웠지만, 나는 일부러 아무로 나미에의 오래된 곡을 골랐다. 「SWEET 19 BLUES」. 전주가 흐르니까

"우와 옛날 생각나네! 대박!"

하며 타쿠짱이 처음으로 큰 리액션을 보였다.

나는 속으로 '잘 골랐군' 하고 빙그레 웃음이 나오는 걸 참고 노래했다.

유튜브로 연습해두길 잘했어. 선곡 제대로 했군. 엄마도 그랬거든. 자긴 딱히 유니콘 팬도 아닌데, 유니콘 노래를 들으면 가슴이 두근거린다고. 다 그런 거라고. 어쨌든 어른 입에서 "옛날 생각나네"가 나오면 된 거야.

노래를 시작하자 바로

"오, '벨을 울려줘!'"

타쿠짱 일행은 가사를 따라 부르며 호응했다.

"저기, '벨을 울려줘!'가 무슨 말인지 알아?"

타쿠짱은 내게 몸을 붙이고서 귓가에 입을 대고 물었다.

나는 후렴을 부르며 고개를 저었다. 포니테일로 묶은 머리가 찰랑찰랑 흔들렸다.

"역시 모르네! 그치?"

타쿠짱은 기쁜 듯이 말했다. 여자가 어떤 걸 잘 모르거나, 이해를 못 한다든지 할 때 남자는 굉장히 기뻐하는 것 같다.

정말이지 아저씨의 관심을 끄는 건 아기 손을 조몰락거리는 거보다 쉬운 일이다. 적어도 내 또래 남자애가 나를 좋아하게 만드는 일보다는 훨씬 쉽다.

달리 통금은 없었지만, 열두 시 전까지는 귀가하는 걸로 정해놓고 있었기 때문에 나는 도중에 노래방을 나가기로 했다. 끝까지 있는 것보다 그편이 더 멋진 것 같아서.

"내가 아래까지 배웅해줄게."

타쿠짱이 그렇게 말하고 따라 나왔다.

복도를 걸으면서 내가 물었다.

"아까 내가 등록해준 아이디로 LINE 해도 될까?"

"좋아. 그런데 내 아이디 알아?"

"응, 내가 좋아하는 숫자와 함께 'takuzzang'이라고 알파벳으로 넣었으니까."

"그래?"

"응. 이름 듣자마자."

"빠르군. 별명을 붙였어?"

에헤헤.

정말로 "에헤헤"라고 소리가 나와버렸다.

엘리베이터 안에서 단둘이 되었을 때 나는 타쿠짱의 손을 잡으려 했다. 가까이 다가가자 후끈한 알코올 열기가 몸에 전해져 왔다.

사실 숨이 멎을 만큼 가슴이 두근거렸지만 나는

전혀 그렇지 않은 척,

"LINE 하면 답장 줄래?" 하고 물었다.

그런 거 물어볼 필요 없었는데.

한 번 더 찔러 보았다.

"나 시간 많아."

타쿠짱은 물론 그렇겠지 하는 말투로

"대학생들은 정말 한가하네"라고 말했다.

'아, 졸지에 대학생이 되어버렸구나' 하고 나는 생각했다.

다들 이렇게 거짓말하면서 어른들과 노는 건가?

*

내가 타쿠짱을 안 계기가 된 그 LINE 단톡방에는 안나도 있어서, 안나는 내가 그 직장인들과의 미팅에 중간에 참가한 것을 자연스레 알게 됐다.

"응, 갔었어."

안나가 정말 갔는지 물어봐서 나는 자백했다.

"그런 데는 왜 갔어? 위험하잖아?"

안나는 걱정스러운 듯 말했다. 내가 이소베 마야

가 속한 그룹과 거리를 좀 두었으면 좋겠다고 생각한다 애는.

"뭐 그냥 심심해서."

"……."

안나는 입을 다물고 말았다.

심심했다면 어쩔 수 없지 하는 얼굴로.

심심하면 정말 괴로우니까. 방에 틀어박혀 있는 동안은 거의 계속 스마트폰을 만진다. 스마트폰만 있으면 시간은 얼마든지 때울 수 있으니까 정말 편하다. 계속 유튜브를 보기도 하지만 틈틈이 학원 동영상 강의도 잘 보고 있고, 이제 입시까지 반년밖에 안 남아서 슬슬 착실하게 준비해야겠다고 생각도 하고 있다.

지원 대학은 도심 쪽에 캠퍼스가 있는 대학이라면 어디라도 좋다는 느낌. 혼자 사는 건 별로. 혼자 살지 않아도 되겠지? 우리 집에서 한 시간 정도면 어디든 갈 수 있고, 게다가 우리 집 돈도 별로 없으니까. 엄마 밥도 맛있는데 집 나갈 이유가 없지 뭐.

엄마는 예전에는 회사원이었지만 결혼해서 일을 그만두고 나를 낳았고, 그때부터 뭐에 썬 것처럼 요리에 빠져 블로그를 시작했다. 내가 초등학교 저학년 때부터 캐릭터 도시락 붐이 일어나면서 엄마는 새벽 세 시인가 네 시에 일어나서 꽤나 본격적으로 도시락을 만들게 됐다. 손수 만든 요리를 사진 찍어 블로그에 올리고 코멘트가 달리면 굉장히 기뻐하며 댓글을 달기도 한다.

엄마는 블로그뿐 아니라 페이스북, 트위터, 인스타그램도 한다. 나는 엄마 계정을 대부분 알고 있다. 방에서 한가할 때 가끔 눈팅하고는, '흠, 엄마는 이런 생각을 하는구나, 이런 사람이었어?' 하고 새로운 발견을 할 때도, 조금 환멸을 느낄 때도 있다. 가끔 자기 맘대로 나에 대해 쓰기도 하니까 가슴이 철렁 내려앉을 때도 있다. 얼핏 보면 나를 자랑하는 것처럼 보이지만, 잘 읽어보면 결국은 '이렇게 열심히 하는 자신'을 자랑하고 있으니까 정말 어이가 없다. "이렇게 될 때까지 딸을 키운 나 대단하지?" 하는 느낌. 난 다 보고 있어. 다 알고 있어. 물론 엄마는 모를 거야. 엄마는 내가 보고 있는 건 요리 블로그뿐이라고 생각하겠지. 엄마가 요리 블로그를 하는 이유는 두 가지다. 첫째, 인정 욕구를 만족하고 싶어서. 둘째, 엄마가 다른 아이디로 활동하고 있는 계정을 숨기기 위해서. 그런데 엄마는 불쌍할 정도로 수비가 너무 허술하다. 그런 주제에

"누군가가 내 블로그를 책으로 만들자고 하지 않을까?"

하는 허황된 꿈을 꾸니까, 바보 같단 생각이 든다. 그건 마치 왕자님을 기다리는 것 같은 태도잖아. 파워블로거 순위에도 들어본 적이 없는데 무슨 말을 하는 거야? 이러니 나랑 아빠가 단둘만 있으면 엄마 흉을 보게 되지. 정말 뒷담화를 들어도 어쩔 수 없어. 엄마는.

일단 뭔가 집안일을 할 때마다 칭찬해달라는 듯 글을 쓰는 건 누가 봐도 쪽팔리는 일이란 걸 누가 빨리 엄마에게 가르쳐줬으면 좋겠다. 왠지 부끄럽고, 슬프고, 쪽팔려서, 이런 일은 누구에게도 말할 수가 없다. 안나한테도 말 못 해. 이 한심한 글들을 올리고 있는 게 우리 엄마라는 걸. 입이 찢어져도 말할 수 없어. 하지만 어영부영 시간이 가면 나도 저렇게 되어버릴지도 모른다. 엄마가 나를 낳은 나이까지 벌써 10년도 안 남았고. 인생은 끝을 향해

가고 있고, 점점 남은 시간은 줄어들고 있고.

"미팅, 어디로 갔었니?"

안나가 물어서 노래방이라고 대답했다.

"열두 시 전에 집에 갔어"라고 말하니까 그제야 안심하는 모양.

안나는 분명 내가 뭔가 대단한 경험을 하고 먼저 어른이 되는 게 싫은 거야.

안나는 내가 완전 좋아하는 친한 친구지만, 이런 저런 걸 하나하나 물어보는 유치한 점은 별로 좋아하지 않는다. 굉장히 침착하고 어른스럽게 차가운 면도 있는 반면, 중학생처럼 어벙할 때도 있어서 '얘 왜 이래?' 하는 생각이 들기도 한다. 하지만 안나가 미래를 차근차근 준비해 가는 모습은 배워야 한다고 생각한다. 그러면서도, 또 한편으로는 안나가 자신의 장래 희망을 확실히 그려놓은 탓에 나는 점점 더 초조해진다.

"넌 꿈이 있어서 좋겠다."

입시 학원에서 돌아오는 길에 안나에게 말했다.

"꿈이랄까, 그냥 되고 싶은 직업이 있는 거지 뭐."

안나는 이미 중앙 방송사의 여러 아나운서의 프

로필을 조사해서 선호하는 인재상이나 합격 비결 같은 걸 파악하고 있었다. 일단 지방 방송국도 원서를 넣어보겠다고 하지만 합격해도 지방에는 갈 생각이 없는 것 같다. 안나는 자기가 태어나서 자란 도쿄밖에 세계는 없다고 생각한다. 만약 아나운서 시험에 떨어지면 어딘가 사람들이 잘 가지 않는 나라로 유학을 가서 통역을 공부하겠다고 한다. 스와힐리어라든지, 힌디어라든지. "그러면 평생 굶지는 않겠지"라면서. 물론 그건 대학을 졸업한 후의 이야기고. 적어도 5년 후의 일이다.

"정말 현실적이네."

너무 현실적인 이야기를 하다 보면 슬퍼지지만, 그런 얘긴 안나에게 하지 않는다.

"당연하잖아."

안나는 좀 자랑스러운 듯 안색 하나 바꾸지 않고 말했다.

그리고 덧붙여서,

"그치만, 여자 아나운서는 일이 막 익숙해지기 시작하는 서른 살 정도에 잘리는 것 같긴 해."

하고, 간혹 나약한 발언도 했다.

"아, 그건 말이야, 어쩔 수 없을지도 몰라. 여자의 가치는 자꾸 줄어들기 때문이지" 하고 내가 말했다. "그렇게 되면 얼른 퇴사해야 하지 않겠어? 왜냐면, 싫잖아? 인터넷에서 '나이 들어 보인다' 소리 듣거나, '할매' 소리 듣는 거."

"그래. 맞아. 그때가 되면 그만둘게."

이로써 안나의 장래 설계는 한층 더 탄탄해졌다는 느낌.

"하지만 서른 살이라니 상상할 수도 없어. 있을 수 없어."

안나가 말해서 나도 같은 말을 반복했다.

"맞아, 있을 수 없어."

*

이런 대화를 나누는 동안 안나에게 말해둘 걸 그랬다. 타쿠짱과 계속 만나고 있고, LINE 메시지도 자주 주고받는다는 걸. 그리고 내가 타쿠짱을 좋아하기 시작했다는 것도. 결국 말할 기회를 놓친 탓에 안나와 이 일을 의논할 수 없게 되어버렸다.

아직 정식으로 사귀는 것도 아니고, 타쿠짱이 나를 어떻게 생각하는지도 모르겠지만, 하루에 한 번은 LINE으로 메시지를 주고받고 있고, 타쿠짱은 나를 차단하지 않는다. 단지, 타쿠짱은 LINE의 기본 자세가 '읽씹'이기 때문에, 타쿠짱과 메시지를 하다 보면 미치도록 초조해진다. 이럴 때 안나가 필요해. ― 구체적으로 말하면, 타쿠짱의 답장이 올 때까지 LINE으로 상대해주길 바라는 거지만.

하지만 나는 타쿠짱 얘기를 아무에게도 말하지 않고 비밀로 간직하고 있다는 사실 때문에 다른 누구에게도 지지 않는 듯한 기분이 들었다. 다른 학교 여자애와 사귀고 있는 남자애가 안나와 나를 좀 우습게 보는 것 같은 느낌이 들 때 왠지 짜증이 났었지만, 지금은 그 기분 알겠어. 나는 타쿠짱과 연결되어 있는 것만으로도 남과는 다르다는 느낌이 들었다.

나는 그냥 '나'보다 '타쿠짱의 여자 친구'라든지, '타쿠짱의 연인'이라든지, 그런 호칭을 붙였을 때 더 빛난다. 같은 학교 남자애는 안 돼. 타쿠짱처럼 학교 밖에 있는, 나보다 훨씬 나이가 많은 연상남이 아니면. 그런 사람과 연결되어 있다는 것만으로도 나는 선택된 인간이라는 느낌을 굉장히 많이 받는다. 그리고 주위 아이들이 바보처럼 보인다. 어리석고 아무것도 아닌, 무력하고 가난한 일반인. 보기 흉한 10대. 우리 엄마는 ≪VERY≫라는 잡지를 가끔 사 오는데 그 책의 광고 문구는 이렇다. "기반이 있는 여성은 강하고, 상냥하고, 아름답다." 그게 내가 말하는 것과 백퍼 똑같다. 기댈 곳이 없는 여자는 끝인 거다.

엄마는 나를 낳고 나서 인생이 끝났다고 말하지만, 그건 좀 기분이 언짢거나 짜증 났을 때 하는 얘기다. 대개는 누군가의 's, 그러니까 누군가의 소유가 된 자신의 인생을 받아들이고 있고, 거기에 안착하거나 한다. 아, 엄마, 나는 여자를 포기하고 대충대충 사는 거에는 너무나 민감하니까.

어쨌든, 내가 말하고 싶은 건 타쿠짱과 LINE으로 확실하게 연결되어 있다는 사실이 지금의 나를 지탱하고 있다는 거. 타쿠짱을 만나기 전보다 나는 자신감과 여유가 생겼다. 우리 학교에는 연예 기획사에 들어간 애, 인터넷에 6초짜리 동영상을 올려

서 팔로워 완전 많이 늘어난 애, 쟈니스 주니어 팬
클럽에서 유명한 애, 그리고 창업해서 고교생 사장
이 됐다고 신문에 난 애 등등 여러 분류의 애들이
있다. 모두들 특별해지고 싶어 한다 할까, 다들 자
기만의 캐릭터를 만들고 싶어 한다. '이 길로 가자'
라고 결정한 애들은 그렇지 않은 애들보다 당당하
고 반짝반짝 빛난다. 나도 타쿠짱을 만나면서 당당
해졌고, 매일매일이 즐거워졌다. 갑자기 일곱 살
정도 훌쩍 나이를 먹고 성장한 기분. 음, LINE 답장
이 오는 일은 드물지만.

나: 지금 뭐해? 21:04 읽음

나: 회사? 21:15 읽음

나: 혹시 또 미팅? ^^ 21:16 읽음

나: 아아아아아 22:01 읽음

나: 심심해... 22:11 읽음

뭐야 이건, 일부러? 일부러 읽은 척하는 건가? 신
경 쓰이게 하려고? 무슨 일 있나? 무슨 뜻이지? 침
대 위에서 손톱을 깨물면서, 스마트폰 액정을 계속

뚫어져라 바라보고 있다. 블루라이트 때문에 눈이 나빠질 것 같다. 이대로 인생이 끝나버릴 것 같은 한없이 지루한 시간. 나는 계속 안절부절못했다.

새벽 한 시가 지나서야 겨우,

타쿠짱: 아직도 일하는 중

이라는 메시지가 왔다

나는 LINE의 토끼가 미안하다는 듯 두 손을 모은 얌전한 스탬프를 보냈다. 그랬더니 타쿠짱도 의미는 잘 모르겠지만 이상한 얼굴의 스탬프를 보내왔다. 뭔가 타쿠짱과 대화할 수 있다는 느낌이 들어서 그것만으로도 기뻤다. 나는 온천 탕 안에 들어가 있는 원숭이 같은 표정이 되어버렸다. 행복 바이러스가 내 안에 쫙 퍼졌다.

*

타쿠짱이 나를 무신경하게 대하는 것은 내가 여대생인 줄 알고 있기 때문일지도 모른다. 아니 백퍼 그럴 거야. 여대생은 그리 특별하지 않으니까. 그래서 나는 도박을 해보기로 결심했다.

처음 만난 지 두 달 정도 지나서야 겨우 다시 타쿠짱을 만나게 되었다.

나: 저번에 그 노래방
나: 건너편 맥도날드에 있어

라고 보내니까,

타쿠짱: 빨리 퇴근할 수 있으면 들를지도

라고 답장이 왔다.

으아! 드디어 만날 수 있어!

나는 몹시 긴장했으면서도 전혀 긴장하지 않은 척하면서 맥도날드에 앉아 있었다. 중간고사 공부를 하다가 시침이 여덟 시, 아홉 시, 열 시…… 열 시 반을 가리켰을 때 타쿠짱이 나타났다.

타쿠짱은 처음에 내가 누군지 모르는 것 같았다. 고등학교 교복을 입고 있었으니까. 나와 눈이 마주쳐도 금방 다른 데로 눈을 돌리고, 타쿠짱은 다른 애를 찾아 두리번거렸다. 나는 여유로운 표정으로 타쿠짱의 모습을 지켜보고 있었다.

손을 흔들자 타쿠짱은 나를 알아보고, "에?!" 하고 눈을 크게 떴다. 그리고 내 쪽으로 다가오더니

"뭐야? 무슨 복장이야?"라고 말했다.

"코스프레?"

그렇게 물어보는 순간, 내가 교과서나 참고서를 펼치고, 컬러 펜을 잔뜩 사용해서 노트를 정리한 흔적이 눈에 들어왔는지 타쿠짱의 눈이 더욱 휘둥그레졌다. 완전 레알 쫀쫀한 이 긴장감! 그리고 타쿠짱은 나를 향해, '혹시 너 여고생이야?'라고 무언의 눈빛으로 물었다. 그 눈이 반짝반짝 빛나서 나는 안도의 한숨을 내쉬었다. 내가 여고생이라는 걸 밝히면, "이건 범죄야! 안 돼!" 하고 도망쳐버리면 어쩌나 걱정했거든.

하지만 나는 이 도박에서 이겼지.

타쿠짱은 여대생인 나보다 여고생인 나를 더 높이 평가하는 게 분명했다. 그렇게 얼굴에 쓰여 있었다.

그 후 가끔, 이렇게 타쿠짱과 함께 맥도날드에서 만나곤 한다. 스타벅스라든가, 산마르크라든가, 미스드라든가, 가게를 바꾸면서 여러 장소에서 나는 타쿠짱을 기다린다. 공부도 잘되고 일석이조지 뭐. 타쿠짱은 내가 공부하고 있으면, "좋아. 좋아" 하고 머리를 쓰다듬어 준다. "좋아. 좋아."

"열심히 해서 도쿄대학 가라."

그건 무리야!

"적어도 6대학(일본 도쿄 6대학 야구연맹 소속 대학을 가리킨다. 도쿄대학, 게이오대학, 와세다대학, 메이지대학, 릿교대학, 호세이대학이 이들 대학인데, 야구 외에도 다양한 체육 경기나 문화 예술 교류를 한다 ─ 옮긴이) 정도는 가야지 아니면 의미 없어."

타쿠짱은 마치 자기는 실패해버린 인생을 살았다는 듯 ─ 내가 같은 전철을 밟지 않게 잔소리를 해대면서 ― 나에게 도전 의식을 불어넣어 주려고 하는 것 같다.

그런 부분은 우리 엄마와 비슷하다.

자기 경험에서 얻은 교훈을 전부 나에게 전수하니까. 그러니까 절대 실패하지 말아줘, 그러니까 후회할 인생을 살지 마, 말하면서 은근슬쩍 나를 압박하는 거다.

나는 그런 말을 들으면 안절부절못하는 성격이라서 그런 부담감이 정말 싫다. 그런 말을 들으면 들을수록 모든 걸 다 날려버리고 싶은 기분이 든다. 하지만 참자. 타쿠짱도 "나 같은 어른이 되면 안 돼"라고 말하잖아.

"나는 타쿠짱 같은 어른 좋아해."

맥도날드 2층에서 내가 두 손으로 턱을 받치고 눈을 치켜뜨며 말하자, 타쿠짱은 조금 고교생 같은 표정으로 당황하면서 기쁜 얼굴을 했다.

봐, 아저씨의 관심을 끄는 건 아기 손목을 조몰락거리는 것보다 간단해.

*

타쿠짱과는 주로 평일 저녁에 만났는데, 딱 한 번 토요일에 둘이서 데이트를 했다.

요미우리랜드역에서 만나 놀이공원에서 하루를 보냈다.

온몸이 얼어붙을 것처럼 추워서 솔직히 나는 놀이기구를 탈 기분이 아니었다. 타쿠짱과 함께 있는 건 기뻤지만, 수험생인데도 휴일을 노는 데 써버린다는 죄책감으로 마음이 무거웠다. 하지만 이런 제안을 거절한다는 건 말도 안 되지.

타쿠짱은 그날따라 몹시 즐거워 보였다.

"나, 번지점프 해야지"

하며 혼자서 철골 계단을 올라가버렸다.

나 혼자 지상 벤치에 앉아서 지루하게 스마트폰을 만지작거렸다. 번지점프 줄이 꽤 길었다. 시간이 걸릴 것 같다고 LINE이 와서, 힝, 그렇다면 영어 단어라도 외울까 하고, 스마트폰 사전 앱으로 적당히 공부를 했다. 번지점프를 마친 타쿠짱이 완전 상쾌한 얼굴로 내 쪽으로 다가와서야 나는 타쿠짱이 뛰어내리는 장면을 놓쳐버렸다는 걸 알았다.

"미안, 못 봤어"라고 말할 수가 없어서,

"굉장하네, 타쿠짱. 어떻게 그리 잘도 뛰어내릴 수 있어?"

나는 마치 엄마 같은 말투로 타쿠짱의 용기를 칭찬해줬다.

우리는 그날 데이트에서 처음으로 손을 잡았다.

타쿠짱의 손은 어른의 손이다.

그 손이 내 손을 감쌀 때 나는 타쿠짱 거라는 안도감을 느낀다. 나보다 더 크고 씩씩한 남자의 몸이 정말 좋다. 타쿠짱이 내게 같이 자자고도 해주면 좋겠는데. 빨리 타쿠짱과 섹스하면 좋겠는데. 그래서 내 젊은 몸에 빠져서 타쿠짱 인생이 망가지면 좋을 텐데.

롤러코스터를 탔다가는 얼어 죽기 딱 좋을 것 같아서 지붕이 달린 곳에 들어가기로 했다.

"귀신의 집이 좋아!"

내가 말하자,

"나는 무서워, 싫어."

타쿠짱이 말한다.

귀엽네~ 저러는 거.

하지만 막상 타쿠짱은 귀신의 집에 들어가서는 무서워하거나 하지 않고, 내가 꺅꺅 거리고 있는 틈을 타서 내게 키스해왔다. 캄캄한 어둠 속이라 완전히 빗나가긴 했지만.

타쿠짱은 혀를 꼬거나, 내 입술을 먹듯이 핥아먹었다. 침이 끈적끈적 입술 주위에 묻어서 나는 조금 뒷걸음쳤다. 나도 모르게 미간에 주름이 잡혔다. 타쿠짱은 내 허리에 손을 감아 꼭 껴안고, 내 손을 자기 거기에 살며시 갖다 댔다. 딱딱한 것이 만져져서, '아, 이런 느낌이구나' 하고 두근거렸다. 남자들의 거기는 이런 느낌이구나. 그대로 뒤에서 치마를 들추고 들어올 수도 있겠구나 하고 상상했지만, 타쿠짱은 그렇게 하진 않았다.

그 대신 우리는 계속 손을 잡고 있었다.

마치 폼 안 나는 우등생 커플 같다고 나는 생각했다.

디즈니랜드가 아니라 요미우리랜드에 온 것부터가 그래.

타쿠짱은 놀이공원에서 돌아오는 길에 내게 요미우리랜드 마스코트 인형 열쇠고리를 사줬다. 굉장히 작은, 하얗고 속눈썹이 짙은 이상한 강아지 캐릭터. 나는 그 말랑말랑한 열쇠고리를 책가방에 달고 다니며 타쿠짱에 대한 사랑을 표현했다.

타쿠짱에게서 먼저 LINE이 온 적은 거의 없고, 언제나 내가 먼저 메시지를 보냈기 때문에 나 혼자 좋다고 빠져 있는 게 아닐까 계속 생각했다. 그래서 좋아한다는 내색도 별로 안 하고, 좋아한다고 말도 하지 않고 꾹 참아왔다. 타쿠짱을 좋아하는 내 마음을 들키지 않게.

하지만 아무래도 그건 오해였던 것 같아. 사실은 타쿠짱이 나한테 빠져 있었어. 그게 이 데이트에서 분명해진 거지.

아직 여자 친구라고 말하기엔 좀 애매할지 몰라도, 우리가 정식으로 사귀는 건 시간문제야. 놀이공원에서의 행동 하나하나가 그걸 증명하고 있어.

옆에만 있어도 타쿠짱의 가슴이 콩닥콩닥 뛰는 소리가 들리는 것 같았거든.

*

　12월. 안나가 수시 모집 추천으로 지망 학교에 합격했다. 담임한테 합격 소식을 들은 안나는 상기된 얼굴로 나를 껴안았다.

　"아~ 다행이야! 다행이야!"

　감긴 팔 때문에 숨을 쉬기 어려웠다.

　나는 안나를 감싸 안으며

　"축하해, 진짜 잘됐어"

　하고 말했지만, 물론 진심으로 그렇게 생각한 건 아니었다. 내 얼굴이 죽상이었는걸.

　내가 좀 오버해서 축하한다는 걸 안나도 알고 있는 거 같았다.

　"아리사, 너도 입시 준비 힘내서 잘해. 꼭 함께 대학생이 되자!"

　안나는 그렇게 말하고 격려해주었지만 내 조급함은 정점에 다다랐다.

　맘 편해진 안나는 자기처럼 수시 추천으로 합격한 같은 반 친구 사이토 군과 사귀기 시작했다. "서로 한가하니까"가 안나가 말하는 교제 이유. 물론 나름 좀 겸손하게 한다고 한 말이지만, 그런 말에는 왠지 사랑이 빠져 있는 것 같았다.

"괜찮아, 억지 부리지 마. 좋아한다고 말해. 좋아하니까 사귄다고 하면 되잖아."

나는 조금 감정적으로 안나에게 말했다.

안나는 삐쳐서 "어쩔 수 없잖아"라고 말했다.

"아리사도 수시 추천 받았으면 좋았을 텐데. 그랬으면 합격해서 같이 계속 놀 수 있었을 텐데. 왜 안 받았니?"

안나는 내 성적이 지난 두 학기 동안 놀랄 만큼 떨어지고 중간고사 등수도 100등 가까이 밀려나고 말았다는 사실을 모르고 있었다. 담임이 추천은 무리라고 잘라버렸다고는 안나에게 말할 수 없었다. 기말고사도 꽤나 위험했다. 다음 달이 수능 시험인데. 큰일이다. 이대로라면 어느 대학에도 못 들어갈지도. 사실 지원 대학도 아직 정하지 못했다. 진짜 위험하다. 진짜 진짜 위험하다.

어쨌든 엄청 고독했다. 안나가 합격하면서 갑자기 더 고독해지고 말았다. 그 사실 때문에 내 맘이 확 타쿠짱에게 기울었다고 하면 안나는 화를 낼까?

나: 왠지 여러 가지 일이 있어서 다운돼 있어

나: 죽고 싶다…

나: 아, 그닥 멘탈 문제 같은 건 아니야!

나: 수험생의 고민거리랄까

타쿠짱은 이례적으로 이런 말을 했다.

타쿠짱: 이번에 여행이라도 갈까?

이제 기분은 지옥에서 단숨에 천국!

갈게! 갈게! 의욕이 생겼어! 공부 열심히 할게!

곰이 종이 꽃가루를 날리며 '와~' 하고 있는 스탬프를 몇 개나 연달아 보냈다.

*

여기서부터는 사실 너무 바보 같아서 다른 사람에게 별로 말하고 싶지 않다.

새해가 밝은 후 한 달하고 반이 지났을 무렵,

타쿠짱에게서 '하코네에 방 잡았는데 갈래?' 하

는 제안이 왔다. 나는 조금 생각해본 뒤, 가겠다고 답했다.

그날은 수능 시험 첫날이었다.

나는 한 해에 한 번 있는 대입 시험보다 타쿠짱과 함께 가는 하코네를 선택했다.

온천에 가서 처음으로 섹스를 하고, 그리고 정식으로 타쿠짱의 그녀가 될 거라고 생각했다. 수능 시험은 모두 보지만, 하코네에 가는 것은 나뿐이야. 그렇게 생각하니 지금까지 맛보지 못한 우월감이 느껴졌고, 괜스레 혼자 황홀해졌다.

물론 모두에게는 거짓말을 했다. 집을 나설 때 엄마는 상처를 만지듯이 조심스럽게 "힘내" 하며 도시락을 건네주었다. 엄마가 싸준 도시락을 보고는 가슴이 아팠다. 그 도시락을 가방에 넣어 다닌 탓에, 여행 중에도 계속 엄마 생각이 났다.

난 왜 이렇게 이상한 아이가 되어버린 걸까?

어쩌다가 타쿠짱의 꼬임에 넘어가버렸을까?

지금 당장 시간을 되돌려 수능 시험장에 가고 싶어. 전부 원래대로 되돌리고 싶어. 가슴이 동동거리고 심장이 두근거려서 하나도 즐겁지 않았다. 로

맨스카(오다큐전철회사가 운영하는 특급열차 ─ 옮긴이)를 타고 창밖을 내다보면서 나는 애꿎은 손톱만 물어뜯고 있었다.

하코네에 도착했더니 비가 몹시 내려, 몸이 진짜 차가워졌다. 관광은 하지 않고 료칸에 직행하게 된 우리. 체크인을 하고 방에 들어가니, 타쿠짱이 먼저 TV를 켰다.

마침 점심 뉴스.

추운 날씨에 몸을 잔뜩 웅크리고 머플러와 큰 마스크를 착용한 수험생들이 수능 시험장에 들어가는 모습이 비쳤다.

"아아, 오늘 수능 시험인가?"

타쿠짱이 중얼거렸다.

완전히 남의 일인 것처럼.

그리고 한 박자 뒤에 내 쪽을 돌아보며,

"어? 아리사는 수능 안 봐도 되는 거야?"

하고 바보 같은 얼굴로 말했다.

나는 무언가 금방이라도 무너져내릴 것 같았다.

"수능……. 봐야 해."

나는 조금 떨며 말했다.

"알다시피 나 수험생이잖아."

"뭐, 거짓말이지?! 지금 수능 땡땡이친 거야?"

타쿠짱은 당황하며 일어서서 "무서워! 무서워!"란 말을 되풀이하며 나를 쳐다봤다.

그동안 나는 타쿠짱에게 수능 시험이 언제인지, 지망 학교는 어디인지 하는 얘기는 일절 하지 않았다. 왜냐면 그런 얘기를 하면 타쿠짱이 나를 귀찮은 여자애라고 여길 수도 있으니까. 귀찮다거나 부담스럽다고 여겨지는 게 두려웠으니까.

"큰일 났네! 미안! 어쩌지…… 아아…… 어쩌지……."

타쿠짱은 양손으로 머리를 감싼 채로 방을 왔다 갔다 했다.

공황 상태가 된 타쿠짱을 보고 있으니, 거꾸로 나는 냉정해졌다. 이제 여기까지 왔으니 안절부절 못해도 어쩔 수 없지. 이건 어떻게 해도 안 되는 일이야. 게임 오버.

타쿠짱이 내가 수능 시험을 못 보게 하려고 일부러 이 타이밍에 나를 꾀어낸 게 아니라는 걸 알았다. 하지만, 내 눈에는 왠지 그가 확신범으로 보였

다. 내 인생을 엉망진창으로 만들 수 있는 천재일
우의 찬스가 오늘. 미련한 나는 덫에 걸렸고, 완벽
한 너의 승리. 타쿠짱은 그런 게임을 하고 있었다
고 나는 생각했다.

그건 내가 생각하던 게임과는 좀 달랐다.

나는 단지 타쿠짱 옆에서 입을 쩍쩍 벌리고 있는
것만으로 나에게 필요한 것이 무엇이든지 갖춰지
고, 눈 깜짝할 사이에 모든 게 완성되는 그런 일을
하고 있다고 생각해 왔다. 타쿠짱과 함께 있다는
사실만으로 나는 남들과 다른 특별한, 한 단계 높
은 존재가 될 거라고 자부하면서.

스스로에 대한 확신이 완벽하게 서 있어서 겁내
지 않고, 누구와도 대등하게 이야기할 수 있는 사
람. 자기에게 딱 맞는 향수를 알고 있는, 자기 스타
일을 가진 멋진 어른. 유머 감각이 넘치는 인기녀.
프랑스 요리의 테이블 매너도 알고, 와인도 잘 아
는, 어디 내놓아도 부끄럽지 않은 여자.

타쿠짱과 함께 있으면 그런 사람이 될 수 있을
거라는 예감이 들었다.

나는 타쿠짱이 내 머리카락을 잘 빗겨서 "자! 완

성!" 하고 사람들 앞에 선보이는, 그런 사람일 거라 기대했다.

목욕 후에 타월을 펼치고 있는 엄마 품에 뛰어들기만 하면 물기가 사라지고, 깨끗하게 잘 마른 파자마를 입을 수 있고, 바로 잠들기만 하면 되는 상태로 침대로 옮겨지는 것처럼. 나는 그런 식으로 나를 다듬어서 어른으로 만들어줄 사람을 찾고 있었던 것이다.

얼마나 바보 같은 생각이었나.

나는 온천에 머물지 않고, 혼자 역으로 돌아가서 신주쿠행 로맨스카를 타고 기차 안에서 '엄마 도시락'을 열었다.

한입 사이즈로 잘라서 상추 위에 올려놓은 돈가스. 방울토마토와 데친 강낭콩. 토란과 삶은 당근. 매실과 차조기 잎이 들어간 계란말이. 김 가루를 뿌린 밥. 디저트로 오렌지 한 조각. 평소처럼 아주 소박하고 평범한 도시락이었다. 입맛을 돋우는 냄새가 풍기자 역에서 파는 도시락을 먹고 있던 사람이 곁눈질하며 조금 부러운 듯 내 도시락을 쳐다보았다.

계란말이를 입에 넣고 우물거리는데, 눈에서 눈물이 뚝뚝 떨어졌다. 엄마, 미안해요. 미안해요. 엄마 도시락이 세계에서 제일 맛있어.

*

수능 시험을 안 봐도 되는 대학교의 2차 시험을 본다든지, 본고사만 보는 사립학교에 응시한다든지 여러 가지 만회할 수 있는 방법이 있기는 했다. 하지만 나는 조용히 재수를 택했다.

3월. 재수학원 교실에 들어서니 창가 자리에 이소베 마야가 앉아 있었다.

"어? 마야! 마야도 떨어졌니?"

아는 얼굴을 보고 나도 모르게 목소리가 커졌다.

"엥?"

하고 말하면서 천천히 얼굴을 드는 이소베 마야의 눈을 보고, 나는 놀랐다. 왠지 한 움큼 빛이 사라졌어. 고등학교 때의 짜증스러울 정도로 생명력이 가득했던, 반짝이던 그 눈은 어디로 갔지? 나는 무심코 "뭐야? 무슨 일이 있었어?" 하고 물었다.

그 질문이 마중물이 되어 밝혀진 연애담에 의하면, 이소베 마야는 대학생과 사귀다가 작년 크리스마스에 호되게 차이고 크게 상처를 입어서 입시를 신경 쓸 처지가 아니었다고 한다.

"아직 이겨내지 못했어."

이소베 마야는 힘없는 목소리로 그렇게 말하고는 '날 그냥 놔두라'는 듯 참고서를 펼치고 공부에 집중했다.

나는 생각했다.

그 이소베 마야조차 연상과 사귀면 제대로 상처를 입는데, 나 따위가 무사할 리 없지.

교단에 선 강사가 1년 후 있을 수능 대비 커리큘럼을 설명하는 동안 나는 멍하니 생각했다.

나는 언제쯤 내가 그리고 있는 그런 여자가 될까? 언제쯤 나는 완성될까? 그때까지 얼마나 시간이 더 걸릴까? 내가 되고 싶은 여자는 예쁘고, 머리 좋고, 멋지고, 재미있는 말을 할 수 있는 사람. 언제나 당당하고, 자신감 있고, 다른 사람에게 알랑거리지 않고, 나중에 자기혐오에 빠질 만한 촌스러운 리액션도 하지 않는 사람. 그런 여자가 될 때까지 얼마나 시간이 더 걸릴까?

정신이 아득해질 정도로 많은 시간과 헛발질투성이의 너덜너덜한 경험.

그 끝까지 가봐야 내가 나에게 충분히 합격점을 줄 수 있는 인간이 될 수 있는 걸까.

*

어느 날 엄마가 사온 잡지 ≪VERY≫를 훑어보는데 거기에 타쿠짱의 기사가 실려 있었다.

잘나가는 남편으로 소개된 그는 전과 같이 검은 뿔테 안경을 쓰고 검정 티셔츠를 멋지게 차려입고서, 그 옆에 서 있는, 부티 나는 곱슬머리 미인을 역겨울 정도로 사랑스러운 눈으로 바라보고 있었다. 디자인 사무소 사장 이시바시 타쿠로 씨(34)와 그의 아내 푸드 코디네이터 키리코 씨(32). 키리코 씨는 타쿠짱의 팔을 휘감고 마치 지금 당장 집 근처 고급 슈퍼마켓에 쇼핑이라도 갈 듯한 분위기를 풍기고 있었다.

그 밖에도 타쿠짱 부부의 사생활을 연출한 사진

이 몇 장 더 실려 있었다. 인터뷰에 의하면 키리코 씨는 현재 임신 중. 임신 사실을 알게 된 후에는 타쿠짱이 요리를 해주는 일이 많아졌다며 "지금 굉장히 행복해요." 타쿠짱이 잘하는 요리는 냄비 요리. 그중에서도 토마토 찌개가 요즘 가장 자신 있는 요리인 듯.

나는 거실 소파 앞에서 턱을 괴고 있다가 나도 모르게,

"큭!"

하고 소리를 내고 말았다.

멍청이잖아 이 자식.

토마토 찌개는 무슨. 폰즈(유자, 레몬, 탱자, 라임 등의 감귤류에 식초와 간장을 넣어 맛을 낸 일본의 전통 조미료 — 옮긴이)로 먹어라. 냄비 요리 같은 건. 바보! 찐따 새끼! 캭 퉤! 정말, 이런 쓰레기 콱 죽어버리면 좋을 텐데.

키리코 씨의 요리 블로그는 인기 순위에서도 자주 톱에 오른다고 한다. 그 문장을 보자 관자놀이에서 뭔가가 툭 하고 끊어지는 소리가 들렸다.

"엄마! 엄마!!!"

내가 다급하게 부르자 엄마는 앞치마에 손을 닦
으며 내게 다가왔다.

"잠깐만……. 왜 그래~?"

"엄마, 이시바시 키리코, 푸드 코디네이터 블로
그 알아?"

"…… 키리코의 사랑받는 아내 푸디즈 다이어리
말하는 거지?"

"맞아, 그거야!"

나는 일어서서 선언했다.

"봐. 엄마. 나 오늘부터 도쿄대학을 목표로 미친
듯이 공부할게. 그러니까 엄마도 키리코를 인기 순
위에서 끌어내려! 그래서 키리코보다 엄마가 먼저
블로그 내용을 책으로 출판하는 거야! 알았어?"

"음, 응……. 알았어……."

"안 돼! 엄마! 좀 더 텐션 올려! 출판! 출판!"

"응, 응! 출판! 출판!"

엄마도 주먹을 불끈 쥐고 나를 따라서 외쳤다.

"도쿄대! 도쿄대!"

"출판! 출판!"

우리는 서로에게 용기를 북돋아주며 "예이!!!" 하

고 힘껏 외치며 점프했다.

　나는 이번에야말로 내가 갖고 싶은 것을 내 힘으로 내 손에 넣을 작정이다.

게이코는 도시 여자

게이코는 지금 다니는 회사로 이직하고 반년이 지나도록 자신의 출신지를 한 번도 밝히지 않았다. 달리 숨길 의도가 있었던 건 아니다. 줄곧 패션 잡지 편집을 하다가 탁월한 패션 감각을 인정받아 백화점 바이어로 발탁됐고, 이번에는 의류 업체 웹페이지 제작을 맡게 되었다. 인터넷 판매 사이트이긴 하지만 새로운 스타일을 제안한다거나, 해외 셀럽의 옷 입는 법을 알려주는 기획을 짜는 등 잡지보다 더 알찬 콘텐츠를 준비해나갈 예정이다.

신규 부서로 헤드 헌팅 되어온 게이코는 수수께끼로 가득 찬 여자다. 영어와 프랑스어를 유창하게 구사하고, 아오야마에 있는 빈티지 맨션에 산다. 가끔 아는 잡지 편집자가 "게이코 씨, 한 번만 더 부탁드려도 되나요?" 하고 메일을 보내와서 인테리어 특집 기사에 사는 집이 소개된 적도 있다. 항상 높이가 10센티미터는 되어 보이는 힐을 신고, 브랜드 론칭 파티에 얼굴을 내밀거나 잡지에 모델 친구들과 함께 찍힌 스냅 사진이 조그맣게 실리기도 한다.

"게이코 씨 정말 멋져요."

게이코 밑에서 일하는 어린 여사원이 술자리에서 옆자리에 앉아 마치 꿈꾸는 듯한 눈으로 게이코를 바라보며 말했다.

"저, 잡지 마니아라서 게이코 씨를 예전부터 알고 있었어요. 함께 일할 수 있어서 정말 행복해요."

게이코는 아직 20대 초반인 그녀의 반짝반짝 빛나는 눈동자를 바라보며 과거의 자신을 오버랩시켜 보았다.

멋진 사람이 되고 싶다, 되고 싶다, 안달했던 그때. 번 돈을 옷에 몽땅 쏟아부으며 자기만의 스타일을 모색했던 그때. 게이코도 저 어린 여사원과 똑같은 눈빛으로 멋쟁이들에게 뭔가 가르침을 청

하려고 했었다. 그렇게 한 발자국씩 도약하면서 자신만의 스타일을 완성하기 위해 늘 낑낑대며 아등바등했다.

게이코는 노력형 인간이다. 영어도 프랑스어도 열심히 공부한 끝에 익혔고, 큰 실패를 거듭한 결과, 자기만의 장점을 끌어낸 헤어스타일과 패션에 도달했다. 그런 노력의 결실로 지금은 누구에게나 멋진 사람이라고 인정받는 게이코지만, 아직도 그녀의 마음속에는 어딘가 불안한 소녀의 마음이 남아 있다.

"게이코 씨, 계속 도쿄에서 사셨나요?"

어린 여사원이 뜨거운 눈빛을 보내며 물어보자 게이코는 잠시 머뭇거리다 말을 흐리면서 "응? 응?" 하고 대꾸했다.

"꼭 요코하마 같은 곳에서 자란 사람 같아요. 저도 사실 태어난 곳은 요코하마인데."

그러자 건너편에 앉아 있던 남자 사원이 "이 친구 초등학교부터 대학교까지 계속해서 세이싱(도쿄에 있는 카톨릭계 명문 여학교 — 옮긴이) 출신이에요" 하고 어린 여사원이 귀한 집에서 곱게 자랐다는 걸 마치 자기 일인 양 자랑스러운 말투로 말했다. 들어보니 그 여사원은 메이지시대 문호의 집안에서 태어났고, 할머니도 유명한 영화배우였다. 대단한 집안인 듯했다.

"우와~ 굉장하네."

"아녜요, 제 친구들에 비하면 저는 완전 서민이에요. 이제 저작권도 끊겼고요."

그녀는 대단할 거 없다는 듯 쿨하게 받아넘겼다.

게이코는 여사원의 태도에서 자신과는 무언가 결정적으로 다른, 타고난 자신감이 넘쳐흐르는 모습 같은 걸 느꼈다. 노력형 인간이 아무리 노력해도 얻을 수 없는 그 자신감을 그녀는 벌써 가지고 있구나 하고 생각했다.

도쿄에는 이런 사람이 많다. 일본이 계급사회가 아니라는 말은 새빨간 거짓말이다. 베드타운 출신의 게이코는 상상도 못 할 상류층이 우글거리고, 그 사람들은 몇 세대에 걸쳐서 축적된 경제력과 문화 자본과 이를 바탕으로 만들어진 자신감을 넘쳐날 만큼 소유하고 있는 것이다. 그리고 그런 사람들일수록 묘하게도 어깨에 힘을 빼고 겸손한 태도로 살아간다. 잘난 체하는 사람은 모두 지방에서 온 사람들이다. 게이코는 다른 사람들의 대화에 묻혀서 결국 이번에도 자기가 어디 출신인지 말할 기회를 날려버렸다.

게이코는 집으로 돌아가는 길에 늘 들르는 '내추럴 로손(일본의 건강식품 편의점 — 옮긴이)'에 들어가서 주류 코너로 향했다. 작은 병에 든 크래프트 맥주를 장바구니에 넣었다. TV에서 대대적으로 광고하고 대량 판매하는 맥주를 그녀는 별로 좋아하지 않는다. 미각이 발달한 게이코는 원재료의 맛이 두드러지는 수제 맥주를 고르는 도시 여자다. 게이코는 최근에는 와인보다도 크래프트 맥주를 더 즐겨 마셨다.

편의점에서 나오자마자 가드레일 끄트머리에 병뚜껑을 걸치고는 '뺑~' 하고 솜씨 좋게 맥주병을 땄다. 이 모습을 지켜보던 젊은 남자애들이 이미 취한 듯 유쾌하게 "우와~" 하고 갈채를 보냈다.

게이코는 방긋 웃으며 병나발을 불어 보이고는 비닐봉지에서 맥주를 꺼내 그들에게 내밀었다.

"줄게. 이거 맛있어."

"아, 이거 '고에도 맥주'잖아요? 저 가와고에(도쿄 근교 사이타마 현에 있는 인구 35만의 소도시. 예전에 가와고에를 작은 도쿄라는 뜻으로 '고에도'라고 불렀다 — 옮긴이) 출신이거든요."

"정말? 나도 가와고에야!"

"진짜요? 저 완전 고에도 토박이예요."

"나도~"

게이코는 도쿄가 좋다.

하지만 사랑하는 곳은 가와고에다.

그녀는 고에도 맥주를 마실 때마다 휘발유를 가득 채운 자동차처럼 건강해졌고, 앞으로도 도쿄에서 실컷 놀아주자고 마음먹으며 발뒤꿈치를 박차고 걷기 시작했다.

남자 친구의 넘버원

몇 년 전 일이다. 당시 사귀던 연상의 남자 친구와 마지막으로 노래방에 갔다. 나보다 나이가 많긴 했어도 20대였으니까 지금 나보다는 훨씬 어렸다. '훨씬'은 좀 과장이지만, 그래도 뭐, 연하는 연하지.

　그 당시엔 나도 막 스무 살을 갓 넘긴 나이였다. 지금 생각해보면 완전 어린애였기 때문에 마음은 흐물흐물했는데 머릿속은 부글부글 끓고 있어서 그 남자 친구를 '하느님'같이 숭배하는 구석이 있었다. 자기 자신이 아직 바로 서지 않은 젊은 시기에는 그렇게 다른 사람을 ― 특히 연인을 ― 자기 정체성의 중심으로 삼아버린다는 걸 나중에 돌이켜

보고 알게 되었지만……. 그런데 그때 그 사람도 내게 영향을 주는 게 기뻐서 죽겠다는 듯 "너 이런 것도 몰라?" 하고 나를 바보 취급하면서도 여러 가지 것들을 가르쳐주었다. 하지만 전부 잊어버렸다. 재미없는 일은 학교 공부처럼 다른 사람이 아무리 주입해도 전혀 기억에 남지 않는 법이다.

그 남자 친구를 만나기 전까지는 서양 음악에 일절 관심이 없었기 때문에 '롤링 스톤즈'나 '너바나' 같은 가수의 유명한 곡들은 모두 그 사람이 불러줘서 노래방에서 처음 들었다. 그래서 그 사람 목소리로 처음 들었던 곡들을 나중에 제대로 된 원곡으로 들었을 때 너무나 멋져서 기절하는 줄 알았다. 남자 친구가 불렀던 「Satisfaction」은 음정이 맥없이 쳐졌고 고음을 올려야 할 때도 잘 올리지 못해서 이게 왜 명곡이라는 건지 도무지 이해가 되지 않았다. 그 사람이 너바나의 「Smells Like Teen Spirit」를 불렀을 때도 노래하면서 하는 동작이 기분 나빴다. 물론 처음으로 같이 노래방에 가서 한 번도 들어본 적 없는 서양 록을 선보였을 때는 '우와! 멋져!'라고 생각했지만.

4년이 지나고 내가 20대 중반이 되었을 때는 이미 남자 친구가 전혀 '하느님'같이 느껴지지 않았다. '하느님'은커녕 연하의 여친에게 소고기덮밥 값을 내게 하는 찌질이가 되어버렸다. 그런 인간이 대학생 여자애(더구나 아직 10대!!)와 바람피우고 있다는 사실을 오지랖 넓은 친구가 굳이 가르쳐줘서 기분이 완전 더러웠던 어느 날, 아무것도 할 일이 없어서 함께 노래방에 갔던 것이었다.

흥을 돋울 만한 구석이라곤 찾아볼 수 없는 심드렁한 장례식장 같은 노래방에서 그 인간은 오카무라 야스유키의 곡을 닥치는 대로 불렀다. 나는 노래 가사를 눈으로 따라가면서, 바람피운 주제에 이런 달콤한 노래를 연신 부르는 그 아니꼽달까, 뻔뻔하달까, 아무튼 뭔가 멋지게 보이려는 수작의 역효과로 인해 머릿속이 멍해지고 말았다. 나는 오만 정이 다 떨어져서 가만히 노래 가사만 쳐다보고 있었지만, 마음속으로는 '너 같은 놈은 평생 자기보다 어린 여자한테 추앙받으면서 폼이나 잡고 살아라!' 하고 악담을 퍼붓고는 그 뒤로 연락을 끊었다.

그 사람과 헤어진 뒤로는 좀처럼 새로운 남자 친구가 생기지 않았다. 내겐 그 사람이 첫 남자 친구였고, 20대 초반을 전부 그 사람에게 쏟아부었다. 그래서인지 어릴 때부터 연상남과 오래 사귄 여자 특유의 아니꼬운 태도가 내 몸에 배어버려서 또래들과 잘 어울리지 못하는 인간이 되고 말았다. 스물일곱 살이 되어서야 다음 남자 친구가 생겼다. 밴드 경험이 있는 서른두 살, 니가타 출신. 대학 졸업 후에 도쿄에서 아르바이트를 하면서 빈둥빈둥 놀다가 스물아홉에 겨우 취직한 사람이었다.

정사원이 된 지 3년밖에 안 됐는데 노래방에서 노래하는 건 완전 뼛속까지 직장인 같은 느낌이어서 마이크를 잡은 그를 처음 봤을 때 깜짝 놀랐다. 혹시 태어나서부터 지금까지 계속 샐러리맨이 아니었을까 궁금할 정도로 오직 회사원만 부를 수 있는 방식으로 노래하는 것이었다. 어떤 곡이라도 그 사람이 부르면 '청춘의 추억을 되새기면서 동시에 그 추억을 떨쳐버리려고 몸부림치다가 우울해져버린 오전 1시의 회사원'의 노래처럼 들렸다.

그는 참으로 성실하게 신인 가수의 데뷔 앨범을

듣거나, 외국 신인 가수의 일본 방문 정보를 입수해서 티켓을 열심히 사는 사람이었다. 왜 30대 아저씨가 신인 가수에 목매다는 건대?

나는 여러 번 심술궂게 질문했다.

― 음, 그냥 취미니까.
― 데뷔 앨범이 그 가수의 전부니까.
― 음악씬을 지원하려고.
― 사회에 물들이지 않으려면 이 방법밖에 없어.

그때마다 여러 가지 대답이 돌아왔지만, 왠지 전부 석연치 않았다. 왜냐면 신인에게 달려들어 그들을 차례차례 소비하고, 타인의 풋풋한 열정을 쓰고 버리는 것 같았으니까. 대체 누구를 가장 좋아하는 거야? 그렇게 쉽게 여러 뮤지션의 곡을 "좋다"라고 간단히 말하는데, 가장 좋아하는 가수는 도대체 누구야?

― 그건 당근 오카무라 야스유키지.

남자 친구는 당연하다는 표정으로 말했다.

─ 남자들은 모두 오카무라를 가장 좋아하거든.

2011년 9월 17일, 그와 함께 신키바의 라이브 공연장 '스튜디오 코스트'에 갔다. 공연장에 들어서자마자 편하게 볼 수 있는 뒤편에 자리를 잡으려다가 그에게 덜컥 어깨를 잡혀 한 소리 들었다.

"이렇게 멀리서는 야스유키가 춤추는 게 안 보이잖아. 더 앞으로 가자. 앞으로."

하지만 이미 공연장의 절반 정도가 관객으로 가득 차 있어서, 중간 지점보다 앞으로는 나아갈 수 없었다. 게다가 이상하게도 관객 중에 남자가 많았는데, 그들에게 사방을 둘러싸이니 꼭 만원 지하철을 타고 있는 기분이 들었다. 조명이 꺼지고 귓속이 들썩일 정도로 큰 환호성이 콘서트홀을 가득 채웠다.

키 큰 관객에게 가려져서 보이다가 보이지 않다가 하는 양복 차림의 오카무라 야스유키가 저 멀리 무대에서 춤을 추고 있었다.

돌아오는 길, 밤의 신키바를 걸으면서 남자 친구가 "오카무라짱 어땠어?"라고 물었다.

"응, 너무 즐거웠어. 잘 보이지는 않았지만."

"그리고?"

"누군가가 '야스유키~ 잘 돌아왔어~' 하고 외치는 소리를 들으니까 왠지 눈물이 날 것 같았어."

"그리고?"

그리고…… 공연장에는 예전에 사귀었던 사람, 그러니까 내 첫 남자 친구가 와 있었다. 스물셋 정도 돼 보이는 여자애와 함께.

"그리고……. 음. 남자가 '꺄~' 하고 외쳤어. 처음 들어봤어."

"엥? '꺄~'라는 소리 못 들었는데?"

아니, 그건 분명히 꺄~였다.

남자애들이 모두 꺄~ 하고 정말 외쳤는걸.

남의 추억을 훔치지 마라

종업식이 끝난 교실에서 낫짱이 책받침을 구부려서 머리칼을 팔랑팔랑 부채질하며 잡지를 뒤적이고 있었다. 진지한 얼굴로 잡지를 보고 있는 낫짱에게 "무슨 잡지야?" 하고 물어봤더니 읽고 있던 책장을 덮고 표지를 보여줬다. 아르바이트 정보지였다.

"어? 너 아르바이트할 거야?"

"응, 어차피 여름방학엔 한가하니까."

낫짱은 읽고 있던 페이지를 다시 펼쳐서 "아싸! 고등학생 가능" 하고 중얼거리며 형광펜으로 동그라미를 쳤다.

"너도 아르바이트하는 게 어때? 어차피 한가하잖아."

낫짱이 이력서를 한 장 주길래 나도 써봤다.

학력 두 줄. 경력 없음. 자격증 없음. 지원 동기 란에는 잠시 생각해본 후에 "사회 경험을 쌓으려고"라고 썼다.

낫짱은 조금 있다가 집 근처 대형 슈퍼마켓 안에 있는 '사진 현상 서비스 코너'에 면접을 보러 간다고 했다. 세탁소 옆에 있는, 사진을 뽑아주는 작은 임대 매장이다.

"만약 합격하면 이웃 사람들 사생활을 싸그리 엿봐야지"라며 단단히 벼르고 있었다.

역에 도착하고 나서야 낫짱이 증명사진이 필요하다는 사실을 떠올려서 쇼핑센터 안에 있는 즉석 사진관에 갔다.

"에? 700엔이라고! 비싸다~"

총 여섯 번 촬영 중에 두 번은 스티커 사진처럼 둘이서 찍기로 하고 "너도 200엔 내라~"라고 낫짱이 제안했다. 내 이력서용 사진도 한 장 찍게 해달라고 말하자 낫짱은 알았다고 하면서 돈을 넣었다.

6회 연속 촬영이니까 타이밍이 생명. 우선 낫짱 혼자 들어가서 플래시 세 번 터뜨리고, 그다음에 내가 들어가서 우리 둘이 함께 두 번. 마지막에는 낫짱이 화면 밖으로 빠지고 내 얼굴에 초점을 맞춰서 한 번 찍는 순서로 작전을 짰다.

개인 사진 촬영 부스를 감싸고 있는 시트 안에서 플래시가 세 번 반짝이고, 내가 확 뛰어들어서 입을 '우~' 하고 오리처럼 오므려서 한 장, 그다음에는 눈을 감고 입을 '아~' 하고 벌려서 한 장, 마지막 한 장은 낫짱을 동그란 의자 아래에 쑤셔 넣고 나 혼자 찍었다.

3분을 기다리니 사진 기계가 입에서 길쭉하게 연결된 사진을 토해냈다.

"켁. 나 웃고 있어."

이 사진 절대 못 쓰겠네. 킥킥 웃으면서 역에서 낫짱과 헤어졌다.

패스트푸드점, 편의점 등등 몇 군데 면접을 봤는데, 결국 합격한 곳은 24시간 영업하는 비디오 대여점이었다. 집에서 자전거로 15분 걸리는 지방 도로변에 있는 '비디오랜드'. 여름방학이 시작되고 첫 주 월요일 오전 아홉 시, 면접관이었던 점장 후지쿠라 씨가 안내해줘서 'STAFF ONLY'라고 쓰여 있는 문을 열고 처음으로 가게 안에 들어갔다.

가게 뒤편은 어둡고 음침하고 공기가 썰렁하고 골판지가 어수선하게 쌓여 있었다. 색이 바랜 포스터가 벽면에 붙어 있고 「터미네이터 2」의 아널드 슈워제네거 실물 크기의 패널이나 「다이 하드 2」의 브루스 윌리스 실물 크기 패널들도 절간의 공양탑처럼 여기저기 우뚝 서 있었다.

"탈의실은 남녀 겸용이야. 전에 한 번 도난 사건이 있었으니까 사물함 자물쇠만은 꼭 채워둬."

점장이 문을 열자 탈의실 안 플라스틱 벤치에 앉아 있는 여자 한 명이 보였다.

그녀는 점장 얼굴을 보자마자 손가락 사이에 끼

고 있던 담배를 스탠드 재떨이에 휙 내던졌다. 푸시시 소리와 함께 담뱃불이 꺼지고 곧바로 그녀가 "수고 많으십니다" 하고 겉치레로 인사했다.

"이 친구 오늘부터 일하니까."

"예~에."

그 여자는 오오시마 씨라고 이 지역 여대 2학년생이었다. 갈색 쇼트커트에 그을린 피부. 눈썹은 가늘고 날카롭고, 목소리는 허스키했다.

"사물함은 너 쓰고 싶은 거 써. 선착순이니까. 비어 있으면 위 칸을 써도 좋아. 돌아갈 때는 열쇠를 그대로 꽂아둬. 규칙상 개인 물건은 두고 다닐 수 없지만, 나랑 사카이 씨는 신발을 넣어놨어. 아! 너 샌들 신었네. 샌들은 안 돼. 다음부터는 운동화를 신고 오든지, 아니면 운동화 가져와서 여기서 갈아 신어."

오오시마 씨에게 출근 카드 찍는 방법을 배우고, 유니폼을 받았다. "M 사이즈면 되지?" 하고 묻고는 창고로 사라졌다가 몇 분 뒤에 다시 돌아와서 "이런 것밖에 없네" 하고 L 사이즈 유니폼 한 벌을 나에게 건넸다.

"남자는 그냥 여기서 대충 갈아입는데, 여자는 저기를 쓰면 돼."

커튼레일이 설치된 탈의실 한쪽 구석에 숨어서 유니폼을 싸놓은 세탁소 비닐을 찢었다. 헐렁한 퀼로트 스커트를 허리에 대충 걸쳐 입고 나오니까

"아, 옷자락은 치마 속에 넣어" 하고 바로 주의를 준다. 허리춤의 옷자락을 가지런히 하려고 매만지고 있자니 오오시마 씨가 참다못해 직접 자기 손으로 쑥쑥 밀어 넣었다.

가게 내부 바닥은 흰색과 검은색 바둑판 모양이고, 천정은 연지색으로 칠한 철골 대들보가 다 드러나 보이는 구조였다. 진열장에는 햇빛에 변색된 비디오패키지가 빼곡하게 꽂혀 있었다. 이른 시간이라 그런지 손님은 거의 없었고, 카운터 안에는 갈색 머리를 어깨에 닿을 정도로 기른 키 작은 여자가 서 있었다.

"안녕하세요, 사카이입니다. 잘 부탁해요."

사카이 씨는 아침인데도 이상하게 씩씩해서 왠지 후지TV 여자 아나운서 같았다.

오오시마 씨와 사카이 씨에게 대강의 카운터 업무와 선반에 테이프를 되돌려놓는 반환 작업을 배웠다. 초등학교 때부터 비디오 대여점 점원이 일하는 모습을 동경하는 눈으로 봐왔기 때문에 어떻게 일하면 되는지 알고 있다고 생각했는데, 막상 카운터에 서보니 어색하고 부자연스러웠다.

"음. '어서 오세요~' 하는 목소리에서 좀 아마추어스러운 냄새가 나나?" 사카이 씨는 고개를 갸웃거리면서 나긋나긋한 말투로 말했다.

"연기하면 돼" 하고 오오시마 씨가 말했다. "비디오 대여점 점원 역할을 맡았다고 생각하고 연기해버려. 그냥 연기라고 생각하다 보면 점점 익숙해질 테니까."

매장에서 일하는 사람들은 대부분 대학생이나 20대 프리터(아르바이트로 생계를 유지하는 사람들 — 옮긴이)다. 내가 일하는 시간은 오전 아홉 시부터 오후 세 시까지. 그래서 오오시마 씨와 사카이 씨 콤비와 같이 셋이서 일할 때가 많다. 남자들은 모두 늦은 시간에 출근하기 때문에 탈의실에서 얼굴을 마주쳤을 때나 슬쩍슬쩍 소개받곤 했다.

스물네 살 가나이 씨는 작년까지 아시아 여러 나라를 떠돌아다녔다는데, 그래서 그런지 몸집은 작아도 근육이 단단하고, 몸매도 민첩해 보였다. 반면 국립대학 졸업생인 미우라 씨는 키가 껑충하게 크고 새우등에 스물여섯 살로 아르바이트생 중에서 가장 나이가 많다. 여자 중에 유일하게 늦은 시간에 출근하는 치아키 씨는 금발의 '갸루'인데 건설 현장 인부 일을 하는 남자 친구와 동거 중이다. 장래 희망이 영화감독인 열아홉 살 카시이 군은 일부러 집에서 영화 추천 피오피를 쓸 정도로 영화를 사랑한다. 첫 만남에서 카시이 군은 내게 인사 대신 "좋아하는 영화가 뭐죠?" 하고 물었다. 내가 「쇼생크 탈출」이라고 대답하자 "평범하네" 하고 실망한 듯 말해서 좀 상처받았다.

탈의실은 언제나 사람들로 가득 차 있었다. 담배를 피우거나, 두꺼운 비디오 업계 전문 잡지를 넘기면서 신작 비디오를 체크하거나, 다른 사원들 뒷담화를 하거나, 경영 방침에 불만을 털어놓거나. 끼리끼리 노는 학교 교실과 달리 이곳에서는 모두가 모두와 이야기하며 서로서로 쓸데없는 수다를 나눈다. 마음 맞는 동료와 스스럼없이 주고받는 대화는 시즌 1과 시즌 2를 거치면서 점점 호흡이 맞아가는 해외 드라마의 주요 캐릭터들 같은 느낌이었다. 탈의실을 무대로 펼치는 지루한 대화극. 나는 분명 시즌 도중부터 나타난 새로운 캐릭터였다.

그리고 또 한 사람, 츠치다 씨가 있었다.

"츠치다는 말이야, 음식점 아르바이트가 메인이야. 이 가게에서는 많이 근무하지 않아."

츠치다 씨는 타지에 있는 전문학교를 졸업하고 올봄에 돌아와서, 이 동네로 온 지는 얼마 되지 않았다고 한다.

업무에 익숙해지기 시작한 토요일, 아홉 시에 출근해서 출근 카드를 찍고 있는데, 탈의실 안쪽 커튼이 활짝 열렸다. 탈의실 안에서 나온 여자는 폴로셔츠 깃을 고치면서 나를 보고,

"아, 여고생이다!"

하고 간지러운 목소리로 말했다.

츠치다 씨는 머리카락 색깔이 짙고, 이목구비가 반듯하고 얌전하게 생긴 얼굴을 하고 있었다. 그런데도 수수한 느낌이라기보다는 어딘가 화려한 분

위기가 풍기는 사람이었다. 언뜻 보기에는 청순한 느낌인데 끊임없이 말을 걸어온다. 뭐랄까, 겉보기와 다르게 얌전하지 않고, 좀 빡센 느낌이랄까.

"얘. 귀에 피어싱 안 해? 뚫고 싶지 않아?"

카운터 안에 함께 있는데 츠치다 씨가 손을 뻗어 내 귓불을 꽉 쥐면서 말했다. 그 행동 하나로 우리 두 사람 사이에 상하 관계가 정해져 버린 느낌. 츠치다 씨는 내가 쩔쩔매는데도 아랑곳하지 않고 마치 오래 사귄 친구와 장난치는 것처럼 나를 허물없이 대했다.

"아! 너 완전 예민하구나. 귀엽네. 그런데 몇 학년이야? 2학년? 아, 그래서 알바하는 구나~ 그렇지. 놀 수 있는 날도 2년밖에 안 남았지. 앞으로 어쩔 거야? 진로는 정했니? 나는 전문학교라서 입시 안 치렀지만, 대학 가고 싶다면 빨리 결정해야겠네. 아~ 그립다. 고등학생들 참 좋겠다. 그런데 좋아하는 사람 있니? 어라? 우리 무슨 얘기하고 있었더라? 아 맞다. 피어싱, 피어싱."

츠치다 씨는 줄줄 대사를 읊듯 거침없이 이야기했다. 초면인데도 어떻게 이렇게 편안하게 말을 하지? 하고 감탄했다. 가끔 질문처럼 말꼬리를 올리기도 했지만, 내가 끼어들 틈도 없이 다음 말을 계속 쏟아냈다. 빨려 들어갈 듯 츠치다 씨의 얘기를 듣고 있는 동안, 지금까지 피어싱을 하고 싶다는 생각을 해본 적이 없었는데도,

"교칙이 너무 엄격해요, 우리 학교."

나는 어느새 분한 표정을 하고 그런 말을 하고 있었다.

"그래도 뚫은 애들 있지 않니? 응? 나는 중3 여름방학 때 뚫었는데, 꽤 여러 번 막혀버려서. 봐. 여기 한 번 찢어졌어."

츠치다 씨는 옆 머리카락을 귀 뒤로 넘겨서 나에게 찢어진 상처를 보여주었다. 휙 하고 한 줄로 선을 그은 것처럼 살색이 옅어진 자리.

"하지만 이런 건 바로 나으니까, 걱정 말고 뚫어. 피어서로 뚫으면 한순간에 끝나. 아, 그렇지만 여름에는 안 돼."

"그래요?"

"응. 여름 상처는 낫기 힘들다고 하잖아. 내가 처음 뚫었을 때도 여름이었는데, 소독을 게을리하면

바로 곪아버려. 좀 더 기온이 내려가면 뚫어야 해. 알았지? 9월도 아직 더우니까 10월이 좋아. 10월에 뚫어. 그리고 세 달 정도는 퍼스트 피어스 넣어둬야 하니까, 좀 더 머리를 길러야 선생님한테 안 들키겠지. 머리 좀 길러. 길러서 쫙 펴는 게 어울릴 것 같아."

순식간에 그녀의 페이스에 말려들어 갔다.

"나. 신발 고르는 거 진짜 못해. 이 운동화도 좀 커. 봐, 여기 널널하지?"

츠치다 씨는 카운터 안에서 당당하게 쭈그리고 앉아서 나에게 운동화 끝부분을 만져보라고 했다.

"아, 진짜 널널하네요."

몸을 굽혀서 운동화 끝을 누르니까 확실히 거기만 살이 없고 텅 비어 있었다.

"그러니까. 신고 있으면 발가락이 이렇게 춤추는 거야."

츠치다 씨는 손을 카운터 바닥에 놓고 피아노 치는 것처럼 꼼지락거렸다. "왠지 신경 쓰여서 기분 나빠"라고 말하면서 꼼지락꼼지락. 츠치다 씨의 하얗고 화사한 손목에는 그녀와 어울리지 않는 검고

투박한 'G쇼크(일본의 전자회사 카시오가 생산하는 손목시계로서 1983년부터 생산했다 — 옮긴이)'가 채워져 있었다. 한눈에 남자 시계라는 걸 알 수 있었다.

"그 G쇼크 멋지네요."

츠치다 씨의 편안한 말투와 무장해제 화법에 걸려들어서 "남자 친구 거예요?"

라는 말까지 내 입에서 나와버렸지만, 마침 카운터에 손님이 와서 그 이야기는 거기서 끊겼다.

"그렇구나. 불여우를 만났구나."

다음 날 함께 카운터를 본 가나이 씨가 말했다.

"'춋치'라고 했죠? 별명."

"나는 불여우라고 부르고 있는걸. 왠지 여우 같지 않아?"

"불여우인가?"

처음으로 같은 시간대에 일하게 된 치아키 씨가 지푸라기 같은 금발을 쓸어 넘기면서 우리 쪽을 향해 어딘가 비뚤어져 보이는 눈을 희번덕 치켜떴다.

"걔를 불여우라고 부르는 니 센스가 개짜증 나."

"개짜증이라니, 이 언니 질투하는 거야?"

가나이 씨가 마치 재미있다는 듯 말한다.

"걘 그냥 남자에 환장한 년일 뿐이야"라고 치아키 씨가 말했다.

가나이 씨는 "으~ 무서~" 하고 덜덜 떠는 척하면서 산더미처럼 쌓아올린 비디오테이프 무더기를 안고 도망치듯 플로어로 나가버렸다.

치아키 씨는 아무래도 불량소녀 출신 갸루 느낌이라서 그런지, 모두들 그녀가 하는 말에는 장단을 제대로 맞춰주지 않는 분위기가 있다. 만약 치아키 씨가 학교 선배였다면 무서워서 말 한마디 걸지도 못했을 거야. 그랬다면 어디에 있어도 눈에 띄는 치아키 씨를 멀찌감치 바라보고 동경했을 텐데. 복도에서 그녀와 마주치기만 해도 긴장했을 거고, 만약 그녀가 말을 걸어오면 이빨이 딱딱 부딪힐 정도로 떨렸겠지. 그런데 여기서 치아키 씨의 지위는 놀라울 정도로 낮다. 아무도 그녀를 두려워하지 않고, 경의를 표하지 않으며, 아마 여자로서도 좋아하지 않는 듯하다.

치아키 씨는 화가 가라앉지 않은 모양인지, 아르바이트 동료들에 대한 온갖 불만을 털어놓았다.

"가나이 같은 삶은 그냥 도피일 뿐이야. 기분 풀릴 때까지 해외로 놀러 다니는 걸 보면 재수 없어", "카시이는 사회 물을 좀 더 먹는 게 좋아. 맨날 영화만 보는 건 현실에서 한가하다는 증거야", "사카이는 자기 눈에 쌍꺼풀이 있다고 지가 정말 예쁘다고 생각해. 그냥 쌍꺼풀이 있는 것뿐인데", "미우라 씨는……. 말하면 더 비참해질 테니까 해줄 말조차 없어."

"오오시마 씨는요?"

나는 나도 모르게 끼어들었다. 내 셔츠의 옷자락을 손으로 쿡쿡 집어넣었을 때부터, 오오시마 그 사람이 싫었다. 함께 있으면 뭔가 말을 해야 한다는 무언의 압력이 느껴지기도 하고. 자주 "야. 너 또 땡땡이치고 있어!"라고 내게 화내기도 하고.

"오오시마? 별로 할 말이 없네. 아, 하나 있다. 그 쇼트커트. 그건 정말 못 봐주겠어. 정말 싫어, 그런 몬치치 인형(일본 도쿄에 있는 인형 메이커 ㈜세키구치가 원숭이를 닮은 요정을 이미지로 만든 인형 ― 옮긴이) 같은 쇼트커트. 유행하는 거 같긴 하지만. 그런 머리하는 여자는 쿨한 척하지만 사실 아주 촌스러운 뽕짝 같은 연애관을 갖고 있지."

처음에는 모두 친해 보였던 아르바이트 동료들이 알고 보면 여러 갈등 관계에 놓여 있을지도 모른다는 걸 점점 알게 되었다. 탈의실의 화기애애한 공기 속에서 '새로운 캐릭터인 나 빼고는 모두 다 친하다'고 느꼈던 이질감도 나날이 희미해져서 누가 누구를 안 좋게 생각한다든가, 누가 누구를 좋아한다든가, 그런 자잘한 기미만 눈에 들어왔다. 나만은 여전히 모기장 밖이지만. 그래서 오히려 그들의 인간관계를 엿볼 수 있었고, 어딜 가나 살기 힘든 건 마찬가지라는 교훈을 얻기도 했다.

"정말 제대로 된 인간이 하나도 없어"라는 치아키 씨.

치아키 씨는 고학력자인 미우라 씨와 백패커 가나이 씨가 여자 아나운서 타입의 사카이 씨를 두고 경쟁하고 있다는 이야기나 카시이 군이 츠치다 씨에게 "독립 영화에 출연해주세요"라는 제안을 구실로 접근하고 있다고 폭로하고는

"쌍. 그러든지 말든지!!"

배에서 나오는 목소리로 버럭 소리를 질렀다.

그다음 주말도 츠치다 씨와 같은 타임이라서 치아키 씨는 싫어했지만, 나는 속으로 좋아했다. "그년, 남 얘기 하나도 안 들어" 하고 치아키 씨가 지적한 츠치다 씨의 단점이 내게는 오히려 고맙게 느껴졌다. 츠치다 씨는 오오시마 씨와 달리 내가 신경 쓰지 않아도 계속해서 말을 걸어준다. 츠치다 씨의 당당한 말투에는 안정감이 있어서 아무 생각 없이 듣고만 있어도 되니까 함께 있으면 편하다.

오봉(일본에서 여름철에 조상을 기리는 명절. 옛날에는 음력 7월 15일을 전후로 하는 기간에 이루어졌으나 지금은 주로 양력 8월 15일 즈음에 열린다 ─ 옮긴이) 바로 전 일요일에는 아침부터 숨 막히게 바빠서 계속 서서 일하는 바람에 종아리가 열이 날 정도로 빵빵해졌다. 평상시에는 옷을 갈아입자마자 바로 퇴근하지만, 그날은 너무 피곤해서 탈의실 벤치에서 일어나지도 못하고 멍 때리고 있었다. 사복으로 갈아입은 츠치다 씨가 "수고 많았어" 하며 포카리 스웨트를 하나 건네주었다.

"헐. 저 주시는 거예요? 받아도 되나요?"

츠치다 씨는 씩 웃으며 "나도 오늘은 진짜 피곤

하네" 하고 내 옆자리에 앉았다.

아주 조금 어색한 침묵 뒤에 츠치다 씨는 "아!"라고 말하며 검은 G쇼크를 찬 손목을 내 쪽으로 내밀었다.

"⋯⋯? 시계 멋지네요."

나는 전처럼 칭찬했다. 그랬더니 츠치다 씨는,

"아, 이 이야기하는 걸 잊었지?"

하며 술술 말을 꺼내기 시작했다.

이것 말이야, 남자 친구 거 아니야.

남자 친구 아니고 고헤이 군 시계야.

고헤이 군이 누구냐면 말이야.

*

"고헤이 군은 내가 고2 때 딱 한 번 만난 적이 있는 사람이야."

츠치다 씨는 손목시계를 살짝 쳐다보며 말했다. 고헤이 군은 K해안 옆에 살고 있었고 고등학교도 츠치다 씨와 달랐다. 성도 모르고 한 번밖에 만난 적이 없었다. "잘 생각해보니, 나 고헤이 군에 대해 정말 아무것도 모르잖아. 그래서 계속 좋아하는 걸 지도 몰라."

여…… 연애 이야기다!! 이 사람 나에게 연애 이 야기를 해주려고 한다. 이 사람은 포카리 스웨트를 사줄 뿐만 아니라, 소중한 사랑 이야기까지 나에게 털어놓으려고 한다. 나는 왠지 츠치다 씨에게 완전 신뢰받고 선택받은 것 같아 기뻤다. 두근거리는 마음을 감추고 진지한 표정을 지었다.

"그날은 8월에 들어서고도 꽤 지난, 그러니까 오 봉 명절도 지났을 무렵이었지. 왜 8월에 오봉 명절 이 지나면 텐션이 확 떨어지잖아. 이미 놀러 갈 곳 도 다 다녀왔고, 같이 놀 사람도 별로 없어서 남아 도는 시간을 주체 못하고 맨날 빈둥빈둥하면서 보 내는 그런 시기. 그때 갑자기 같은 반 친구 도모코 가 전화를 걸어와서는 '놀러 오지 않을래?' 하고 꼬 시는 거야."

그건 츠치다 씨가 지금 나와 정확히 같은 나이였 던 해 여름방학 때 있었던 이야기였다. 눈앞의 이 어른스러운 여자에게도 여고생 시절이 있었다니, 잘 상상이 안 됐다. 어쩐지 나는 '여고생'은 우리 세대만의 특권 같은 느낌이 들었다. '여고생'은 우리만의 것인데…….

처음 만났을 때와 똑같이 일방적으로 중얼거리는 츠치다 씨 이야기에 흠뻑 빠져서 맞장구치는 것도 잊어버리고 듣는 데 열중했다.

"도모코라고, 내 베프는 아니었지만, 뭐 누구와도 두루두루 얕게 사귀고, 다른 반 친구도 많아 보이는 인맥 넓은 아이였어. 나도 사교적인 편이지만, 도모코는 훨씬 더 활발하고 화려한 느낌이야. 도모코를 보다 보면 내가 친구도 별로 없고 수수한 성격의 여자가 된 것처럼 느껴질 정도거든. 나는 말이지. 마음 한편으로 도모코를 부러워하고 있었어. 그래서 그날 갑자기 전화가 와서 '오늘 별일 없으면 우리 집에 놀러 올래?' 하고 물었을 때 엄청 기뻤어. 도모코에게 선택받았구나, 드디어 도모코가 나를 알아줬구나 하고 말야."

츠치다 씨에게서 그런 깊숙한 속 이야기를 듣는 건 처음이었다. 이런 이야기를 나한테 해도 괜찮은 건가? 왜냐면 아직 초면과 다름없는 사이잖아. 겨우 이틀…… 그렇다, 츠치다 씨와 만난 지 오늘로

고작 이틀째다.

츠치다 씨와 속 이야기를 나눌 만큼 친해졌다고 생각하진 않았지만, 그런 건 내가 눈치채지 못했을 뿐, 그녀는 내 안에 있는 무언가에 깊이 감응한 건지도 몰라. 분명히 그럴 거야. 그래서 나를 선택해서 이런 중요한 이야기를 하고 있는 걸 거야. 아니면 나랑 더 친해질 계기를 만들려고 이런 이야기를 하는 거겠지. 나는 최대한 성실하게 얌전한 얼굴을 하고 츠치다 씨의 말을 기다렸다.

"도모코네 집은 K해안에 있었어. 도모코는 전화로 'K해안에서 내려. 자전거로 데리러 갈 테니까'라고 말했어⋯⋯. 나는 그때까지 자전거로 통학해왔기 때문에 전철 자체를 거의 타본 적이 없었거든. 설레는 마음으로 역까지 가서 표를 산 게 아직도 기억나. 그 노선은 말이야, 그러니까 그 전철 말이야, 이렇게 주택가를 빠져나가면서 달린다고. 타본 적 있니?"

나는 고개를 끄덕였다.

"아, 타봤구나? 음, 내가 그 전철 종점인 K해안에 도착하니까 도모코가 역에서 나를 기다리고 있었어. 걔가 나를 자기 자전거 뒤에 태우고 동네 구경을 시켜준다고 해서 여기저기 돌아다녔어. 도모코는 분명 나 말고 다른 친구들도 불러서 자주 그렇게 안내해줬을 거야. 가이드처럼 익숙한 말투로, 초스피드로 여러 곳을 보여주는 거야. 자기가 어렸을 때부터 다니는 과자 가게나 문방구, 담배 가게까지. 그 동네는 그런 가게가 여전히 영업을 하고 있는 것 같았어. 간판은 벗겨지고, 유리문 안은 전깃불도 켜지 않아서 깜깜하고, 외관만 보면 망했다고밖에 보이지 않는데, 모든 가게들이 다 제대로 영업을 하고 있다는 거야. '저기요~' 하고 부르면 안방에서 할머니가 나온다고 도모코가 알려줬어.

길에서는 음…… 바다는 보이지 않았지만 바다 냄새가 나고 피부가 끈적거리는 느낌이 들었어. 가드레일도 아스팔트도 모두 적갈색으로 녹슬었고, 정말 아무도 없어서 역시 여름방학도 끝나버렸구나~ 하는 생각이 들면서 외로워졌어.

맞아, 맞아. 해안인데 거기는 자갈 해변이야. 같은 바다라도 모래사장이 있는 해변에는 제법 해수욕 손님이 있는데, 자갈 해변에서는 수영을 금지하니까 사람이 적다고 도모코가 말했어. 단골 낚시꾼들만 이른 아침부터 낚싯줄을 드리우고 낮이 되기 전에 다 떠나가버린대."

츠치다 씨는 도모코의 뒤를 따라가다가 안채 뒤뜰에 있는 작은 별채에 도착했다. 어린애가 발로 차도 부서져버릴 것같이 얇은 문에는 자물쇠가 채워져 있지 않았다. 작은 현관에는 구겨 신어서 뒤축이 접힌 운동화가 몇 켤레나 굴러다녔고, 곰팡내 같은 퀴퀴한 냄새가 풍겼다.

"거긴 남자 방이었어. 사실 남자 방에 들어가는 건 처음이라 많이 신기하고 엄청 당황했어. 서양 록 밴드 포스터가 스카치테이프로 붙여져 있는 걸 보고, 와~ 하고 좀 놀랐지. 뭐든지 있었어. 그 방. 작은 TV와 플레이스테이션이 있었고, 카세트가 아니라 제대로 된 오디오와 기타도 두 대 정도 있었고, 소형 냉장고까지 있었어. 도모코가 콜라를 꺼내줬지. 냉장고에는 맥주도 있었고, 재떨이에 담배가 잔뜩 쌓여 있길래 누구 방인지 정말 몰라서 물어봤어. '여기 누구 방이야?' 그랬더니 도모코는 자기 사촌 방이라고 말했지. 사촌인 고헤이의 방이니까, 우리 마음대로 써도 좋다고.

　도모코는 완전 마음이 놓였는지 게임을 하자고
했어. 나는 비디오 게임 같은 건 해본 적이 없어서
그다지 끌리지 않았지만, 도모코는 '괜찮아, 괜찮
아' 하고, 걔 특유의 그 강요하는 느낌으로 '뿌요뿌
요'를 세팅하기 시작했어. 한번 해보면 금방 알 수
있다고 하면서 갑자기 컨트롤러를 가지고 와서는
'너도 알지? 뿌요뿌요' 하고 말했어."

　"…… 팬시한 테트리스?"

　"뭐 그런 느낌이랄까. 나는 초보자인데 도모코는
날 사정없이 공격했어. 당하는 내가 조금 화가 날
정도로 돌을 퍽퍽 떨어뜨리면서 하하하하 웃었어.
나도 점점 빠져들어서 둘 다 적개심을 만땅으로 드
러내고 게임에 열중하고 있는데 갑자기 문이 덜컥
열리고……."

　거기 남자아이가 서 있었다.

　또래로 보이는 남자아이. 하지만 그 아이는 츠치
다 씨가 봐왔던 같은 반 남자애들하고는 분위기가
전혀 달랐다고 했다.

　"고헤이 군은 헛바닥을 내밀고 있는 롤링 스톤스

티셔츠를 입고 청바지 뒷주머니 속의 지갑과 연결된 체인을 이런 식으로 늘어뜨리고 있었어. 머리는 길게 길러서 부스스했는데 가끔 짜증이 나는 듯이 머리를 획 돌렸어. 동물이 젖었을 때 부르르하고 한 번씩 몸을 떠는 것처럼.”

고헤이 군은 그녀들의 모습을 보고 “야, 너 왜 또 마음대로 들어왔어?”라고 투덜댔지만 그건 전혀 화가 난 느낌은 아니었다. 말로 잘 설명할 순 없지만, 너그러움이랄까. 상대방이 싫어하는 일을 일부러 저지르는 어리광을 부리고 싶게 만드는.

“고헤이 군은 침대에 털썩 누워서 우리를 보며 ‘오, 츠치코 잘하네’라든가, ‘도모코 죽었다’라고 킥킥 웃으면서 게임 실력을 평가하고 싸움을 부추겼어. 그게 진짜 웃겨서, 웃음을 참을 수 없을 지경이 되어가지고 배가 아플 정도로 웃어버렸어. 도중에 고헤이 군이 도모코와 교대해서 나와 붙었는데 그때도 굉장히 즐거웠어. 그냥 묵묵히 게임만 하는 게 아니라 수다 떨 듯이 이런저런 말을 하면서 하는 거야. 내가 연속으로 고헤이 군을 쓰러뜨리면 ‘살려줘, 살려줘~’라고 말한다든지.

어릴 적에 아빠가 놀아주면 즐거워 죽을 거 같았잖아. 바로 그런 즐거움. 그래, 고헤이 군은 좀 아빠 같다고 할까, 리더 같았어. 왜, 있잖아, 타고난 리더 타입 아이. 도모코도 그런 기질인데 고헤이 군은 더 대단해서 아~ 그런 피를 타고났구나~ 하고 생각했어. 하지만 나중에 생각해보니 그건 바닷가에서 자랐기 때문에 생겨난 성격인지도 모른다는 생각이 들었어. 바닷가 마을은 문화가 좀 다르잖아. 작은 건 별로 신경 쓰지 않아. 대충 넘어가버려. 핵가족화되지 않았고 여러 세대 사람들이 어울려 살기 때문일까.

해가 지기 전에 도모코랑 바다에 가려는데 고헤이 군도 같이 따라왔어. 도모코가 '안 따라와도 돼' 하고 귀찮은 듯 떼어내려고 하니까 '그래도 양아치들이 있을지도 모르거든?' 하면서 따라왔어.

그게 말이야, 예를 들어 보호자 역할로 같이 가준다든가 하는, 그런 생색내는 것 같은 구석이 조금도 없는 말투였어. 아빠가 자식을 걱정하는 마음처럼 고헤이 군이 나와 도모코를 걱정하고 있다는 게 느껴졌어. 괜히 친절한 사람으로 보이고 싶어서 그러는 게 아니라, 아주 당연하게 그런 행동이 몸에 밴 그런 느낌?

그건 그렇고. 바다까지 걸어가면서 고헤이 군과 대화를 좀 나눴어. 고헤이 군은 어릴 때부터 낚시가 취미고, 여름방학엔 아직 어둑어둑한 시간에 일어나 부두 끝에서 한 시간 정도 멍하게 낚싯줄을 늘어뜨린다고 했어. 해 뜰 때쯤 집에 돌아가서 아침밥을 먹고 한잠 자고 난 후에 낮부터 친구들과 놀거나 다른 일을 한다고 했지. 나는 낚시 같은 거 해본 적 없으니까, 그런 게 뭐가 재밌을까 하고, '고기가 안 낚일 때는 무슨 생각해?' 하고 물어봤어. 그랬더니 '아무것도'라고 말했어. 아무것도 생각하지 않는다는 거야."

나는 츠치다 씨의 이야기를 들으면서 아무 생각 없이 바다에 낚싯대를 드리우는 고헤이 군의 모습을 상상했다. 부두 끝에서 둥글게 등을 구부리고 책상다리를 하고 앉아서 아무 생각 없이 바다를 보고 있는 고헤이 군.

"도모코가 사는 마을에는 주택가를 빠져나가면 막다른 골목에 교도소 담장 같은 콘크리트 방파제가 있었는데, 딱 동네 구획을 이렇게 L자 모양으로 막아둔 것 같았어. 그래서 아무리 걸어도 바다가 전혀 보이지 않았지. 그런데 방파제 철 계단을 올라갔더니 갑자기 확 하고 바다 풍경이 파노라마처럼 펼쳐지는 거야. 나 그때 정말 완전 감동했어. 내가 '최고야! 최고!' 하고 흥분했더니 고헤이 군은 '그래? 매일 오니까 난 잘 모르겠는데'라고 말했지. 하지만 왠지 표정은 기뻐 보이더라."

불꽃놀이 흔적이라든가 빈 깡통, 담배꽁초가 떨어져 있는 자갈 해변에서 고헤이 군은 아직 사용 안 한 불꽃놀이용 로켓을 발견하고, 갖고 있던 100엔짜리 라이터로 불을 켰다.

퓨우우우웅~

불꽃은 귀가 멍해질 정도로 큰 소리를 내며 바다로 날아가더니 순식간에 사라졌다.

해가 저물어서 돌아가려고 방파제 계단을 올라가니까 도로에는 자전거를 탄 남자 네댓 명이 모여 있었다. 고헤이 군은 그 애들을 발견하자마자, 츠치다 씨에게 작별 인사도 하지 않고, 그 무리로 빨려 들어가듯이 가버렸다고 한다.

남자애들은 가로등 아래서 스포트라이트를 받고 있는 것처럼 즐거운 듯 장난치며 웃고 있었다. 지금부터 어디로 갈까, 뭐 하고 놀까, 하고 의논하는 것처럼 보였다.

하지만 츠치다 씨에게 함께 가자고는 권하지는 않았다.

"그럼, 얘 배웅해주고 올게."

도모코가 그렇게 말했다.

고헤이 군은 손을 번쩍 들고, 알았다는 신호를 보냈다.

"그걸로 끝."

츠치다 씨는 이야기를 허무하게 끝냈다.

'잉? 그게 다야?' 나는 맥이 빠졌다. 하지만 그 느낌이 얼굴에 드러나지 않게 진지한 표정을 풀지 않고, 츠치다 씨의 눈을 가만히 쳐다봤다.

"그냥 그것뿐이지만, 나 아직도 고헤이 군을 좋아해."

나는 츠치다 씨 손목의 G쇼크에 눈을 돌렸다.

"저기, 그럼…… 그 시계는요?"

"아, 음, 이건 말이야……. 훔쳤어."

마치 그게 나쁘다고 생각하지 않는다는 듯한 말투였다.

"고헤이 군 방에 굴러다녀서 나갈 때 몰래 가져와버렸어. 추억의 물건."

거기까지 얘기했을 때 치아키 씨가 피곤한 얼굴로 문을 열었다.

"아직 있었니?"

치아키 씨의 얼굴을 보자마자 츠치다 씨는 "자. 먼저 갑니다" 하고 벤치에서 일어섰다.

둘만 남으니 치아키 씨가 "이상하네, 너 왜 그렇게 멍하게 있어?"라며 기분 나쁘다는 듯이 말했다.

*

오봉 연휴가 시작되니 언니가 형부와 아이들을 데리고 집에 왔다.

모두 함께 성묘를 다녀온 뒤에 패밀리 레스토랑에서 밥을 먹고 있는데 두 살 난 조카 사치호가 아직 바다를 본 적이 없다는 말이 나왔다.

"아, 우리 그동안 바다 같은 데 갈 처지가 아니었거든."

언니는 무릎에 앉힌 사치호를 "그래그래" 하고 어르면서 분한 표정으로 육아가 얼마나 고생인지 말했다. 나는 왠지 기분이 나빠져서 반달 모양 소파 끝에 앉아서 언니 얘기에 관심을 끊고 묵묵히 튀김 국수를 먹었다.

"괜찮으면 같이 갈래?"

형부가 갑자기 조심스러운 말투로 말을 걸었다.

"예? 어디요?"

다른 사람 일인 것처럼 되묻자, 자기들 이야기를 듣고 있지 않았다는 걸 모두가 놀리면서

"바다 말이야, 바다. 안 갈래?"

언니가 나를 보며 말했다.

당장 "갈게" 하고 말하는 것도 왠지 쪽팔리지만, 어차피 집에 있어도 비디오만 볼 게 뻔해서

"네. 아. 그래. 가."

부루퉁한 얼굴로 말했다.

언니네 차에 타니까 뒷좌석 내 바로 옆에는 사치호가 임금님처럼 몸을 뒤로 젖히고 카시트에 앉아

있었다. 여자아이지만 왠지 아저씨 같았다. 살랑살랑 흔들리는 머리카락에 퉁퉁 부은 볼. 내가 상냥하게 웃어주면서 얼렀더니 '죽어버려' 하는 표정으로 얼굴을 획 돌려버려서 순간 짜증이 확 났다.

조수석에서는 언니가 "어느 바다로 갈까" 하고 지도를 검색하고 있었다. 형부는 다른 지방 사람이라서 이 근처 지리는 잘 모른다.

"빨리 어디로 갈지 정해봐"라고 말하는 형부.

"일단 이대로 쭉 달리면 바다가 나올 거니까"라고 말하는 언니.

그 순간 퍼뜩 정신이 들어서 나는 얼굴을 앞으로 내밀었다.

"언니. 로컬선 종점에 있는 바다가 무슨 바다인지 알아?"

"아. K해안 말이지?"

"로컬선 타면 거기 갈 수 있어?"

"로컬선이라고? 이 동네를 지나가는 건 전부 로컬선뿐이잖아?

전문대를 나와서 도쿄에 간 언니는 코웃음 치듯이 말하고 다시 지도를 보기 시작했다.

"아, T선 종점이 K해안이다."

"그럼 거기 갈까?"

형부의 말투는 아주 상냥했다. 나 따위한테 상냥하게 대해봤자 아무것도 돌아오는 게 없는데도 말이지…….

"그런데 K해안은 모래사장이 있는 해변이 아니라 자갈 해변인데?"

"괜찮아, 자갈 해변이라도. 그치?" 하고 말하는 형부.

그 상냥함이 왠지 징그러워서

"아, 전 좋아요. 어디든 좋아요."

냉정한 목소리로 대답하고 시트에 몸을 기대서

"자갈 해변으로 가. 모래 해변은 붐비지 않겠어?"

하고 언니를 물고 늘어졌다.

"엥?" 하고 탐탁지 않아 하는 언니. "혼잡하면 차 세울 수 없는 거 아니야?"

형부의 말에 언니는

"그럴 리 없다니까……. 쇼난(가나가와현 남부 사가미만의 해안을 따라 있는 지방, 여러 가지 수상 스포츠를 즐길 수 있는 휴양지로 유명하다 ― 옮긴이)이 아니잖아……."

또다시 시골을 폄하하면서 큰 소리로 웃는다.

"뭐, 어때? 자갈이라도. 모래사장이면 사치호가
화상 입을지도 모르고."

겨우겨우 목적지가 정해졌지만 내 기분은 최악
이었다.

차창 밖을 내다봤다. 언니에게 저렇게 비웃음을
당하고 있는 동네.

나는 과연 이 동네를 떠나게 될까. 이 동네를 떠
나서 어딘가 도시에 살게 되면, 언니처럼 이 동네
사람들을 '촌놈'이라고 바보 취급하게 되는 걸까.
나는 이곳에서밖에 살지 않았기 때문에, 여기가 시
골이라고 생각하지 않는다. 여기는 여기다. 어떤
곳과도 비교할 수 없다. 이 동네에 별다른 애착도
없었는데, 때때로 언니가 이 동네를 하찮게 취급할
때마다 온 힘을 다해 이 동네를 감싸고 싶어진다.

30분도 채 안 돼서 바다에 닿았다. 둑길 옆에다
차를 세우고, 형부는 "시간 얼마 안 걸리겠지?" 하
며 비상등을 켰다.

여기가 맞나? 고헤이 군의 바다는.

제방은 마치 교도소 담장처럼 위압적이다.

"바다는 하나인데 해변은 다 다르게 생겼나?"

내가 콘크리트 제방을 보면서 실망한 듯 혼잣말을 내뱉자

"아하하하. 그건 그렇지~"

형부가 조금 과장 섞인 웃음소리를 냈다.

"응? 이 계단으로 올라가야 되니?"

언니가 계단을 올려다보며 신경 거슬리는 간지러운 목소리로 말소리를 높인다.

"사치호를 안고 올라가야 해서."

세 사람을 먼저 올려 보내고 제방 계단을 올랐다. 폭이 좁고 약간 기울어져 있어서 난간을 잡지 않고 오르기에는 무서웠다. 하지만 철제 난간은 녹투성이가 되어 꺼칠꺼칠했다. 손바닥을 보니 갈색 물질이 들러붙어 있었다. 냄새를 맡아보니 피비린내가 났다. 철봉을 붙잡고 놀고 난 뒤처럼.

나는 일부러 발밑만 쳐다보고 있었다. 파도 소리가 이제 선명하게 들려왔다. 그 기분 좋은 파도 소리를 찢듯이,

"꺄아아아아~ 바다~! 봐. 사치호! 바다야, 바다!"

그런 언니의 새된 목소리가 들렸다.

잠깐 멈춰 서서 언니 일행과 거리를 두었다가 언니 목소리가 멀어졌을 때 마지막 남은 세 계단을 올라가서 얼굴을 들었다.

"아…….."

바다였다.

왠지 뭘 느끼면 좋을지 모를 느낌이었다. 바다를 본 건 오랜만이었다. 하늘도 바다도 눈을 어디에 두어야 할지 모를 정도로 엄청나게 넓었다. 망막에 붙은 물벼룩 같은 먼지가 하늘을 둥실둥실 떠다니고 있었다. 아, 바다다. 바다.

뒤를 돌아보니 녹슨 함석지붕이 연이어 있었다. 사람 하나 없이, 거의 죽은 것 같은 동네였다.

'여기구나' 하고 나는 생각했다.

여기에 열일곱 살의 츠치야 씨와 도모코, 그리고 고헤이 군이 있었다.

계단을 따라 자갈 해변으로 내려오니 절임 채소를 눌러놓을 때 쓸 것만 같은 돌들이 여기저기 널려 있어서 너무나 걷기 힘들었다. 걸을 때마다 돌끼리 서로 부딪히는 감촉이 전해져왔다. 곳곳에 불꽃놀이 흔적이 있었다. 바싹 마른 미역 같은 해조류나 빈 주스 깡통, 담배꽁초. 개중에는 한국어로 표기된 세제 용기까지 흘러들어와 있었다. 전체적으로 더러웠다. 그리고 사람이 아무도 없어서 조용했다.

"자갈 해변도 괜찮구나."

형부가 이곳을 제안한 나를 달래듯 말했다.

"안 좋아~ 역시 모래가 좋아~ 그렇지? 사치호."

나는 시야에서 언니네 식구들을 지우고 대신 고헤이 군의 모습을 상상했다.

청바지에 반팔 티셔츠를 입은, 등이 약간 굽은 것 같은 느낌이지만 티셔츠 소매로 길고 가는 팔이 뻗어 나와 있다. 키는 아마 172센티미터 정도? 속이 뻔히 들여다보이는 입에 발린 말 따위는 하지 않고, 양아치들과 얽혔을 때를 대비해 경호원처럼 붙어서 따라와주고, 아빠처럼 믿음직스럽게 불꽃에 불을 붙여주는 고헤이 군. 고헤이 군이 있으면 불꽃놀이는 전혀 위험하지 않아. 고헤이 군이 괜찮다고 하면 그건 괜찮은 거야.

그나저나 쓸쓸한 바다였다. 슬픔이 밀려올 것 같

은 바다였다. 언니도 나도 형부도 똑같이 기분이 축 처져서 아무 말도 하지 않게 되었다.

그 와중에 사치호만 괴성을 지르며 떠들어대고 있었다.

파도 옆을 언니 손을 잡고 비틀비틀 걷는 사치호의 눈에는 이렇게 쓸쓸한 곳이라도 엄청 즐거운 경치로 비칠지도 모르겠다. 내 눈에는 이제 그렇게는 보이지 않는다. 고혜이 군 같은 사람이 함께 있다면 다를지도 모르지만.

*

개학식이 오전에 끝나서 낫짱과 함께 롯데리아에 들러 점심을 먹기로 했다. 콜라를 홀짝거리다가 여름 아르바이트로 얼마를 벌었는지 이야기가 나왔다.

"넌 얼마 정도 벌었어?"라고 묻는 낫짱.

"6만 엔 남짓."

"다 그렇지 뭐. 나도 그 정도. 그럼, 뭐 살 거야?"

"모르겠어. 전혀 생각 안 해봤어."

우리 둘은 처음 계획한 대로 8월 한 달 동안만 일하고 아르바이트를 일방적으로 그만두었다.

"나 너무너무 혼났어. 사회를 우습게 안다고. 이제 그 사진 현상 코너에는 못 가겠어." 낫짱이 천연덕스럽게 말했다.

나도 그 비디오 대여점에는 두 번 다시 못 갈 거 같다.

"일단 돈이 벌고 싶었는데, 막상 버니까 어떻게 써야 좋을지 모르겠어."

"응. 맞아. 하지만 저금 같은 건 하고 싶지 않아."

"나도~ 확 다 써버리고 싶어."

"그럼 우리 우선 G쇼크부터 살까?"라고 내가 말하니까,

"좋아! 나 베이비G(G쇼크 손목시계의 여성용 버전 — 옮긴이) 갖고 싶어!!" 낫짱도 격하게 동의했다.

"원래 말이야. 여름방학에 아르바이트를 한다는 건 뭔가 잘못됐어. 여름방학에는 놀고 돈 써야 하는 건데. 알바를 하려면 1학기부터 시작했어야지. 아~ 진짜로 아무 데도 못 갔어. 넌 어디 갔었어?"

까칠한 얼굴로 낫짱이 말했다.

"응. 갔어. 성묘하고 바다."

"으음. 바다 갔었구나. 나도 부르지. 그런 데 갈
때는."

'너도 부르다니? 언니 부부와 함께 갔어'라고 말
하려고 했지만 설명하기도 귀찮아서 그만뒀다. 낫
짱에게는 미안하다고 적당히 사과했다.

"즐거웠어?"

낫짱은 별로 흥미도 없다는 듯이 말했다.

"그래. 뭐."

"에~ 부럽다. 누구랑 갔는데?"

나는 콜라를 쪽 빨고, 조금 더 생각하고 말했다.

"고헤이 군."

왜 그런 말이 입에서 나왔는지 잘 모르겠다. 다
만 이런 느낌이 들었다. 내가 바다에서 보았던 그
경치 속에 있었던 사람은 언니 부부도 조카 사치호
도 아닌 롤링 스톤스 티셔츠를 입은 남자아이였다
는 느낌이.

"고헤이 군?"

낫짱은 처음 들어 보는 이름에 반응해서

"누구야 그게?"

나는 푹 하고 고개를 숙였다.

그렇게 물어본다고 대답할 수 있을 리 없다.

누구지?

누굴까?

고헤이 군.

누구더라?

사실 나도 몰라.

고헤이 군이 누구인지는 잘 모르지만, 나는 어느 덧 고헤이 군과 함께 한 뿌요뿌요가 얼마나 즐거웠 는지 열심히, 열심히 떠들고 있었다.

달려도 달려도 아직 열네 살

마리코 이모는 분명 엄마 부탁을 받고 나를 미행하고 있겠지? 자전거 페달을 밟으며 뒤돌아보니, 트렌치코트 차림의 이모가 맹렬히 나를 쫓아오고 있었다.

　"이모 그냥 돌아가!"

　마리코 이모는 옆구리를 부여잡으며 숨이 끊어질 듯이 따라왔다.

　나는 이모가 이렇게 뛰는 걸 처음 봤다.

　밤길에 여자 어른이 마구잡이로 달리는 모습은 무언가 섬뜩하다. 심상치 않은 분위기를 풍기며 이모는 달리고 달린다.

힐끗 뒤돌아보니 이모는 발목을 삐끗해서 하마터면 넘어질 뻔한 듯. 그제야 드디어 사기가 꺾였는지 자리에 멈춰 서버렸다. 나는 이모가 안쓰러워서 자전거 속도를 줄였다. 그러자 흔들거리는 내 자전거 뒤를 이모가 다리를 절며 다시 쫓아왔다.

다리를 건너 주택가를 벗어나서야 겨우 아케이드 거리 입구에 닿았다. 집에서 자전거로 7분 거리. 요즘은 저녁을 먹고 집을 빠져나와 매일같이 이곳에 다니고 있다.

아직 초등학생인데 밤에 외출하다니. 엄마는 반미치광이처럼 화를 내지만, 나는 반에서 가장 키가 커서 여기서 만나는 누구에게도 내 나이를 들키지 않았다. 초등학생이라고 말하면 멤버로 끼워주지 않는데 어떡해. 163센티미터의 키는 초등학생이 짊어지기에는 너무나 무거운 십자가다. 같은 반 남학생 중에 나한테 어울리는 남자애는 한 명도 없고, 나는 완전히 거인 취급받고 있는걸. 개그맨 콤비 '난카이 캔디즈'의 시즈짱이나 가수 와다 아키코 같은, 그런 취급.

몸은 크지만, 나는 마음이 약하다. 몸과 마음, 이

둘은 서로 완전 반대다. 실제로 반에서 제일 심술 궂고 고집이 세고 제멋대로인 애는 가장 키가 작은 에리짱이니까. 우리 반 여자애들은 걔를 중심으로 뭉치고 있고, 에리짱은 제멋대로 애들 하나하나에 캐릭터를 부여해서 그 애가 그 캐릭터로 살게 만든다. 그러니까 나는 어쩔 수 없이 에리짱이 부여한 거인 캐릭터로 지낼 수밖에 없었다.

문제는 에리짱뿐만이 아니다. 에리짱 패밀리는 예쁘장한 얼굴에 응석 부리는 여동생 스타일의 애들뿐이다. 걔들은 나한테 무조건 언니 같은 포용력을 요구한다. 내가 키가 너무 커서 자기들이랑 여자로서 같은 링에는 오르지 못할 거라고 무시하는 것도 다 보인다. 그리고 걔들은 내가 자기들보다 머리 하나 더 크다고 놀리는 일도 잊지 않는다.

불만을 털어놓자면 끝이 없다. 뭐 이제 나는 거의 체념에 가까운 경지에 이르렀다. 나처럼 불편한 처지에 놓인 사람은 또 없을 거야. 부모님 허락이 없으면 아무것도 못 해. 이건 자유의지를 박탈당한 거나 마찬가지야. 내가 내 인생 최고의 즐거움을 찾아 이렇게 자전거를 타는 것만으로도 이모가 미행하는 형편이다. 마치 죄수가 된 기분이다. 게다가 내 키는 보이지 않는 구속복을 찢고 여전히 계속 성장하고 있다.

상점가에 도착해서 자전거에서 내려 자전거를 밀고 걷는다. 나 말고 사람이라곤 찾아보기 힘들지만 '자전거 통행금지'라고 쓰여 있으니 성실하게 지키는 거다. 이봐요, 저는 전혀 불량소녀가 아니라고요. 그런데도 가족은 모두 "마유코가 엇나가고 있어"라며 걱정이 가득.

이모는 나를 아직 따라잡지 못하고 있었다. 나는 뒤돌아보며 '여기야' 하고 이모에게 손가락으로 가리켰다. 그러고는 자전거를 세우고 모든 멤버에게 할 수 없이 털어놓았다.

"미안, 왜 그러는지는 모르겠지만, 이모가 따라왔어."

"어?"

스웨트 셔츠에 스니커즈를 신은 러프한 차림으로 땅바닥에 주저앉은 그녀들은 일제히 고개를 돌리며 질색하는 표정을 지었다.

아아, 싫어. 정말 싫어.

이모는 일정한 거리를 유지하면서 우리가 춤추는 걸 보고 있었다. 기둥에 기대거나 때론 웅크려 앉아 신발을 벗고 발바닥을 주물럭거리면서 지긋지긋하다는 눈으로.

우리는 아케이드 거리의 가게들이 문을 닫는 오후 7시쯤부터 각자 알아서 이 망해버린 상점가로 와서 쇼윈도를 거울 삼아 힙합 댄스를 춘다. 고교생 멤버가 주축이고 중학생도 몇 명 있다. 모두 여자다. 남자 댄스 팀도 있지만 그들은 역 근처 쇼핑몰 쇼윈도 앞에서 춤을 춘다. 그곳은 남의 눈에 잘 띄기도 하지만, 그만큼 잡힐 위험도 크다.

전해오는 얘기에 따르면, 옛날에는 남녀 댄스팀이 함께 사이좋게 춤을 췄다고 한다. 그런데 멤버들 사이에서 커플이 탄생하고, 여자 멤버가 임신했는데 남자 멤버가 제대로 책임을 지지 않아서 팀이 분열된 거란다. 우리들의 선조격인 몇 세대 전 여자 그룹이 쿠데타를 일으킨 후에 흘러 흘러 지금 이곳에 자리 잡게 되었다고 한다.

이 팀의 존재를 처음 알게 된 날은 엄마와 함께 이모를 마중하러 공항에 간 날이었다. 이모는 별로 유명하지 않은 작가지만 미팅이나 영업 활동 때문에 가끔 도쿄와 이 동네를 오가는데, 그때마다 이모를 픽업하러 나가는 게 엄마의 역할이었다.

그날은 이모가 마지막 비행기 편으로 오게 되어서 엄마가 투덜투덜하며 밤길을 달려 공항으로 갔다. 나는 뒷좌석에서 억지로 안전벨트를 착용당하고 십자가 책형처럼 묶여서 창밖으로 흘러가는 풍경을 멍하니 바라보고 있었다. 마침 신호에 걸려 정차했을 때, 아케이드 거리 한쪽에서 즐겁게 춤추는 그녀들을 발견했다. 보자마자 '우와~!!!' 하고 속으로 외쳤다. 진짜 진짜 진짜 최고였다.

그리고 나는 한밤중에 몰래 집을 빠져나와서 지금 바로 저기서 이모가 보고 있는 것처럼 기둥 뒤에서 그녀들의 춤을 물끄러미 바라보았다.

내게 말을 걸어준 사람은 미사키 씨였다. "너도 춤추고 싶니?" 하고 말해준 것이다. 미사키 씨는 상당한 미인이고 스타일도 좋은 데다가 굉장히 아우라가 있어서 나는 그녀에게 한순간에 매료되었다. 멤버로 들어가고 나서도 내가 초등학생이라는 사실을 숨겼다. 어느 학교의 누군지도 모르는 조금 미스터리한 존재로 나는 그들 모임에 속해 있었다. 사립학교에 다니든가, 등교를 거부하는 아이라든가, 히키코모리겠지. 모두 그렇게 자기식대로 해석해주었다. 그래서 이곳에서 이모가 나의 비밀을 폭로해버릴까 봐 너무 두려웠다.

이모는 쇼핑백을 들고 돌아오더니 모두에게 종이 팩에 든 딸기 우유를 나눠주기 시작했다.

싫다. 운동하고 목마른 사람한테 딸기 우유 같은 걸 주는 거 정말 싫어. 나는 얼굴에서 불이 날 것 같았지만, 모두들 "아자!" 하면서 자연스럽게 쪽쪽거리고 빨기 시작했다. 그리고 미사키 씨가 "딸기 우유 짱 맛있네"라고 말하는 걸 듣고 나서야 미묘한 얼굴을 하고 있던 멤버까지 딸기 우유를 아주 맛있다고 느낀다는 것을 알았다. 그녀의 말 한마디에 맛까지 변한다. 미사키 씨는 그런 마법 같은 존재였다.

"음, 마유코네 이모 맞죠?"

미사키 씨가 용감하게도 이모에게 말을 걸었다.

"아, 네."

이런, 이모……, 한참 나이 어린 사람한테 존댓

말이라니! 싫어.

"그런데 여기서 뭐 하세요?"

미사키 씨는 소리를 높이며 이모에게 다가갔다.

이모는 잠시 우물쭈물하고 말을 더듬다가,

"음……. 여러분 모두 마유코가 초등학생이라는 걸 알고서 이 시간에 같이 춤추는 거예요?"

이렇게 순식간에 폭로해버렸다.

미사키 씨는 눈을 깜빡이며 나를 쳐다보았다. 모두 "꺄~ 꺄~" 하고 소리 지르고 난리가 났다.

"네에? 초등학생? 마유코 너 초딩이었니?"

춤을 추다 주저앉은 나는 핏기가 가시는 걸 느끼며 무릎을 꼭 껴안고 머리를 그 위에 묻었다. 이모 죽여버리고 싶어…….

이래 봬도 나와 이모는 꽤나 친했다. 우리 집은 1층에는 할아버지와 할머니, 2층은 아빠와 엄마와 나 이렇게 두 식구가 산다. 이모는 우리 집 근처 아파트에 산다. 작가 일만으로는 먹고살 수 없어서 펜글씨 수업이나 기모노 입는 법을 가르쳐주는 강습을 부업으로 해서 근근이 생계를 꾸리고 있었다.

내가 가장 따르던 사람은 다른 사람이 아닌 바로 이모였다. 나를 어린애 취급하지 않고 내 얘기도 잘 들어주고, 과자든 장난감이든 뭐든 잘 사주는 최고의 이모였다. 물론 그게 나중에 엄마가 나를 혼내는 계기가 되기도 했지만.

"마리코는 결혼도 안 하고 아이도 없으니까 마유 코가 제멋대로 응석을 부려도 다 받아주는 거야."

엄마가 이런 말을 할 때마다 나는 속이 쓰려서 다 때려치우고 그냥 춤이나 추고 싶어졌다.

반에도 마음을 털어놓을 친구가 없는 나에게 이모는 유일한 친구였다. 그러니까 이모의 이런 행동은 참을 수 없는 배신행위였다.

나는 당연하게도 그때부터 댄스팀에 나갈 수 없게 되었다. 미사키 씨는 중학생이 되면 다시 함께 춤을 추자고 토닥여주었지만, 그건 그냥 하는 말에 불과하다. 분명 이제 더 이상 만나지 못할 거야.

모두 함께 춤을 출 수 없다는 사실보다, 또 거인 같이 키가 큰 초딩으로 돌아가 아부의 웃음으로 광대 같은 나날을 보내야 한다는 사실보다, 미사키 씨와 더 이상 만날 수 없다는 사실이 훨씬 더 슬펐다.

혼자가 되고 나서도 나는 댄스를 그만두지 않았다. 내 방 거울 앞에서 더 열심히 춤을 췄다. 춤추고, 춤추고, 또 춤을 췄다. 그러자 곧 1층에 사는 우리 할아버지, 할머니가 "마유짱 쿵쾅거리지 마" 하며 클레임을 걸어왔다. 하아⋯⋯. 무심코 하늘을 올려다본다. 이 세상은 상상을 초월할 만큼 살기 힘들다.

내가 이모를 용서한 건 이모가 자기 집에서 마음껏 춤을 추게 해주었기 때문이다. 한참 전에 이모가 냈던, 베스트셀러라고 부르기는 좀 애매하지만 그나마 좀 팔렸던 유일한 책의 인세로 산 오래된 아파트. 이모 집은 이모가 강습실용으로 사용하는 방 하나만 따로 있고, 나머지 공간은 거실과 부엌, 업무 공간, 침실을 다 겸하는 분리형 원룸 구조로 되어 있었다. 소파를 치우니 상당한 공간을 확보할 수 있었고, 마루에 카펫이 깔려 있어 춤추기 딱 좋았다.

거기서 나는 춤을 췄다. 음악까지 틀지는 않았다. 머릿속에 리듬을 새겨서 마음껏 생각나는 대로 몸을 흔드는 거다. 이모가 컴퓨터 키보드를 두드리거나, 원고에 붉은 펜으로 뭔가를 적거나 해도 나는 그 옆에서 땀을 흘리며 춤을 춘다. 춤을 추다보면 에리짱이나 우리 반 여자애들이 서로 마주 보며 즐거운 듯 고개가 뒤로 넘어갈 정도로 크게 웃는 모습이 떠오른다. 그런 잡념을 떨쳐버리려고 나는 더더욱 집중해서 춤을 춘다. 마냥 춤춘다.

중학교 1, 2학년 체육 필수 과목으로 댄스가 새로 추가되었다는 걸 안 것은 중학교 입학식 날이었다. 교실을 둘러봐도 모두 헐렁한 교복을 입고 누구 하나 눈에 띄는 애가 없는 가운데 나는 이미 베테랑의 관록으로 맨 뒷자리에 앉아 있었다.

"댄스가 체육 필수 과목이 되다니 우리 학교 다닐 땐 생각지도 못했던 일이에요. 여러분은 여러모로 앞으로 새로운 시대를 만들어갈 거예요."

담임선생님의 말에 나는 와~ 하고 완전 감동받았다. '드디어 내 시대가 열리는구나' 하고 생각했다. 댄스 수업에서 내가 그 누구보다도 빛나고, 모두를 깜짝 놀라게 하는 그런 그림을 머릿속에 떠올렸다.

"마유코짱, 춤 엄청 그루브 있게 추네! 완전 천재 잖아!"

"마유코짱, 집에 갈 때 같이 안 갈래? 오늘부터 하교할 때 매일 같이 가자!"

"우리 다 같이 댄스부를 만들자. 리더는 마유코 짱으로 결정!"

하지만 그런 멋진 일은 벌어지지 않았다. 그 수 업은 생각보다 별로였다. 전혀 재미없었고, 게다가 또다시 같은 반이 된 에리짱이 아니나 다를까 새로 운 파벌을 만들어서 쉬는 시간이나 점심시간, 방과 후, 장소를 가리지 않고 춤을 추기 시작했다. 미사 키 씨가 "남자들 꼬시려고 추는 춤"이라고 경멸했 던 살랑살랑 아첨 떠는 유치한 아이돌 춤이다.

"응, 언제까지 이런 일을 당해야 하는 거야?"

이모 아파트의 거실 바닥에 누워 천장을 바라보 며 내가 말했다.

데스크 체어를 빙글 회전시키면서

"거인 문제?" 이모는 거침없이 되묻는다.

"……."

176

그것도 있지만, 그것뿐이 아니라고.

이모는 말한다.

"참아, 마유코. 조만간 모두 너처럼 키가 커질 테니까."

"……."

'조만간'이 도대체 언제야? 조만간이란 건 없어 내 사전에는.

나는 어느 동아리에도 들어가지 않고, 방과 후에는 도망치듯 이모가 사는 아파트로 직행했다.

이모한테 '동방신기' DVD가 있었기 때문에 우선 동방신기 노래 중에 「왜(Keep Your Head Down)」를 완벽하게 커버하는 걸 목표로 매일 연습했다.

땀범벅이 되어 춤추는 나를 보고 이모가 말했다.

"좋아, 마유코, 조만간이 올 때까지 내가 유노윤호 파트를 해줄게!"

그러니까 내가 최강창민 담당이었다.

내 키가 168센티미터까지 훌쩍 자라버린 여름.

하루는 이모네 집 현관문 앞에 세상에(!) 미사키 씨가 앉아 있었다. 부랴부랴 방으로 들어서 보리차를 마시면서 내가 나간 뒤 댄스팀은 어떻게 됐는지 물어보았다.

미사키 씨는 각각 따로 모여 춤을 추던 남녀 댄스팀이 서로 화해해서 지금은 하나의 큰 조직이 되었다고 말했다. 역 앞이 본부, 아케이드 거리가 지부 식으로 운영되고 있다고 했다. TV에서 댄스 경연 대회가 시작되면서 갑자기 댄스 인구가 많아졌다는 소식까지 전해줬다.

"분명한 건 말이야. 이미 순수성이 사라져버렸다는 거야. 댄스 자체가. 이전처럼 순수하게 춤만 추면 되는 그런 시대는 끝났구나 하는 그런 느낌. 나는 우리 팀 멤버들도 계속 도쿄에 진출해서 메이저에서 활약하는 아이가 나왔으면 좋겠다고 생각해왔어. 내가 싫었던 건 그게 아니야. 우리 팀 여자애들 모두 그런 목표 때문이 아니라 단지 남자들이랑 함께하고 싶어 하는 게 싫었어."

미사키 씨는 말했다.

"결국 모두들 즐거운 추억을 만들고 싶을 뿐이야. 학교에서 조금 엇나간 아이들이 있을 장소를 발견하고 몰려드는 것뿐이니까. 남녀가 모여서 꺄

178

꺄~ 하면서 청춘을 보내고 싶은 거지. 하지만 말이지. 난 달라. 나는 진지하게 춤추고 있으니까. 그런 느슨한 사고방식을 못 견디겠어. 그래서 탈퇴했어. 요즘은 공원에서 혼자 춤춰."

미사키 씨는 여전히 멋지긴 했지만, 그런 얘기를 들어서 그런지 왠지 기운이 없어 보이고, 그 대단했던 아우라도 엷어진 느낌이 들었다.

"여름에 아르바이트해서 돈 모으면 도쿄에 가려고. 이제 이 동네에 있을 곳이 없으니. 하하."

그런 말을 하는 미사키 씨가 너무 외롭고 쓸쓸해 보여서 가슴이 아팠다.

옆에서 이야기를 듣고 있던 이모는

"그래 마유코! 그거, 보여주자."

갑자기 그렇게 외치더니 일어서서 동방신기 노래를 크게 틀어놓고 유노윤호의 솔로 파트를 혼자 추기 시작했다.

아 싫어~ 제발 그만둬. 미사키 씨에게 이런 광경을 보여주다니. 좀 진짜 이모 그 정신 상태가 의심돼! 어쩜 그렇게 뻔뻔해……

그런데 뜻밖에 미사키 씨는 동방신기의 커버 댄

스를 극찬하며 완전 재미있어 했다.

"와~ 최고예요!"

미사키 씨에게 그런 말을 들으니 이게 어쩌면 정말로 대단할지도 모른다는 생각이 들어서 기분이 묘해졌다.

하지만 그 순간, 미사키 씨가 "이거 니코니코 채널(동영상 공유 사이트 – 옮긴이)에 올리자!"라고 말하는 바람에 내 몸은 반사적으로 찌릿하고 얼어붙어 버렸다.

"니코니코 동영상⋯⋯. '춤춰봤다' 그거 말하는 건가요?"

"그래, 그래." 미사키 씨는 의기양양하게 아이폰 카메라를 작동시켰다.

"아⋯⋯. 그건 좀⋯⋯." 나는 난감해졌다.

"왜? 안 돼?"

"니코니코 동영상은 좀⋯⋯."

"뭐, 왜? 유튜브면 좋겠어? 왜?"

"음⋯⋯. 뭐⋯⋯."

"잠깐! 잠깐!"

끼어들며 이모가 말했다.

"우리 둘이서 연습한 동방신기 춤은 다른 사람 반응을 너무 의식해서 오히려 동방신기 팬들에게 비난받을 거야. 그렇지, 이렇게 할래? 미사키 씨 우리 같이 삼인조로 춤춰요!"

그렇게 해서 우리는 커버 댄스 곡을 동방신기 노래에서 '퍼퓸(Perfume)'의 노래 「원룸 디스코」로 바꾸고 춤 연습을 하기로 했다. 우리들은 유튜브에서 「원룸 디스코」 뮤직비디오를 찾아서 밤새워 안무를 외웠다. 그리고 다음 날 이른 새벽에 카메라를 켜고 세 명이서 춤을 췄다. 내가 센터의 아~쨩, 미사키 씨가 놋치, 이모는 가시유카를 담당했다. 이모가 틀리지 않고 제대로 춤출 때까지 여러 번 테이크를 거듭한 끝에 점심때가 다 되어서 촬영이 끝났다.

이 동영상을 유튜브에 올리고 나면 왠지 세상이 변할 것 같은 느낌이 들었다.

엔터 키를 누르면 펼쳐질 미래. 문을 열고 밖으로 나가는 것처럼 단 한순간에 모든 것이 바뀐다. 앞으로 전진.

그 동영상이 계기가 되어 이모를 제외한 우리 두 사람, 그러니까 나와 미사키 씨가 재능을 인정받아 돌연 레이디 가가의 백댄서로 발탁되어 월드 투어에 동행하게 된다. 이런 스토리 전개를 교실 책상에 턱을 괴고 앉아 몇 번이나 꿈꿨지만 그런 일은 일어나지 않았다. 발탁은커녕 조회 수도 단 두 자릿수에 그쳤다. 2학기가 되고, 3학기가 되어도, 중2가 되었는데도 두 자릿수 그대로였다.

단 하나의 액션으로 세계가 바뀌기를 기대했고 그 기대는 여러 차례 배신당했다. 셀 수 없을 정도로 많은 상황에서 나는 이 일상으로부터 훌쩍 탈출할 수 있는 날을 꿈꿨다. 단 한 걸음에 성인이 되는 날을. 진심으로 자유로운 기분을 맛볼 수 있는 그런 날을.

단 하나의 액션에 모든 것을 걸고.

아케이드 거리에 처음 갔을 때도 그렇고, 유튜브에 동영상을 올렸던 순간도 그렇고, 용기를 내어 에리짱에게 댄스 팀에 끼워달라는 말을 꺼냈을 때도 그랬다.

"그건 좀 무리야. 키의 밸런스를 무너뜨리고 싶지 않거든."

에리짱은 '에릴리'라는 이름으로 니코니코 채널 '춤춰봤다'에서 완전 핫해졌다.

"그리고 이런 말은 별로 하고 싶지 않지만, 마유코 네가 무섭다는 멤버도 있어서. 미안해."

나는 매일매일 컴퓨터 모니터 안에서 에리짱이 빛나는 모습을 벌써 수백 번 수천 번 반복 재생했다. 예쁘다, 예쁘다 폭풍같이 댓글이 달리는 가운데 멋지게 춤추는 에리짱. 시대를 앞서간 에리짱. 내가 이 사실을 깨달았을 때 그녀는 이미 스타가 되어 있었다. 지금은 많은 동료들에게 둘러싸여, 센터에서 춤추고 있다.

의욕을 잃을 때마다 나는 춤춘다.

그리고 이모에게 푸념한다.

이모는 그때마다 같은 말을 한다.

"괜찮아, 마유코. 지금 네가 싫어하는 사람들이 조만간 모두 한 사람도 남지 않고 주변에서 싹 사라져. 오히려 그 사람들이 그리워지는 날이 온다니까. 정말이라니까."

　하?! 뭔 소리야?

　그걸 믿으라는 얘기야? 바보 같은 소리 하지 마.

　도대체 그 '조만간'이 언제 오는 건대?

　뭘 어쩌라는 거야?

　정말, 언제까지 기다리라는 거야? 응?

8월 32일이 시작됐어

1.

　가즈오는 중학교 시험을 본 해부터 우리 집에 오지 않았기 때문에 초등학교 5학년 때 함께 놀았던 게 마지막이다. 그래서 나는 그해 여름방학에 일어난 일을 아직도 기억한다.

　가즈오는 내 동갑내기 사촌으로 도쿄에서 자랐다. 그 애는 초등학교 저학년 무렵부터 여름방학이 시작되자마자 혼자서 비행기를 타고 우리 마을에 왔다.

　우리 가족 모두 공항에 마중 나가서 도착 게이트

에서 기다리고 있으면 가즈오가 스튜어디스 언니 옆에 달라붙어서 나타났다. 체크무늬 셔츠를 입고 찍찍이 운동화가 아닌 끈 달린 운동화를 신은 멋쟁이 도시 아이. 할아버지, 할머니가 활짝 웃으면서 "잘 왔다" 하고 맞이하면 가즈오는 좀 멋쩍은 듯 인사했다. 그러고는 당돌한 미소를 띠고서 나와는 눈도 마주치지 않았다. 외둥이 중에 상당수가 그렇듯 가즈오는 낯을 가리고 말이 없는 아이였다.

도착하고 나서 며칠 동안은 가족 모두가 가즈오의 비위를 맞추느라 분주했다. 해수욕장에 가거나, 전자랜드에서 신작 게임을 사거나. 그래서 나도 우리 오빠도 가즈오가 오는 걸 기대하고 있었다.

그렇지만 그런 축제 분위기가 이어지는 건 겨우 며칠뿐이었다. 8월에 들어서자마자 불꽃놀이 대회가 끝나고 나면, 여름방학이 막 시작됐을 때의 설렘은 완전히 식어버리고, 우리와 카즈오는 남은 방학 기간을 그저 단조롭고 지루하게 보냈다. 라디오 체조를 마치고 돌아오면 각자 만화책을 읽다가 더위에 녹아버리듯 잠이 들었다. 그리고 점심때 엄마가 깨우면 일어나서 냉국수를 먹었다.

도서관이나 동네 공원에서 우연히 반 친구들을 만나 놀게 되더라도 가즈오는 구석에서 휴대용 게임기를 삐~삐~ 하고 만지작거릴 뿐, 우리들 무리에 끼려고 하지 않았다. 나는 가즈오가 신경 쓰여서

"미안. 나, 먼저 갈게……."

얼른 친구들에게 이별을 고하고 가즈오를 상대해야 했다.

돌아오는 길에 가즈오는 쓸쓸하게 "미니스톱에 가서 망고 파르페를 먹고 싶어"라고 말했다. "미니스톱? 여긴 그런 거 없어"라고 내가 대답하자, 카즈오는 어깨를 떨어뜨리고 "알고 있어. 시골이니까"라고 말했다.

분명히 이곳은 시골이지만 자연에 둘러싸인 멋진 시골이 아니라 그냥 별거 없는 주택가다. 우리 집은 틀림없이 '시골 외할머니 집'이지만 수박씨를 멀리 뱉어도 되는 그런 근사한 툇마루는 없다.

2 .

그래서 나와 가즈오가 초등학교 5학년 여름방학을 어떻게 보냈느냐면, 계속 플레이 스테이션으로 「나의 여름방학」이라는 게임을 하며 보냈다. 매일매일 하루 온종일. 엄마에게 꾸중을 들을 때까지 계속.

「나의 여름방학」은 친척 집에 보내진 초등학생 '나'가 곤충 채집을 하거나 낚시를 가거나 하며 시골에서 여름방학을 만끽한다는 싱거운 내용으로, 원래는 힐링을 원하는 어른들이 옛날 향수에 빠져서 게임을 즐기도록 만들어졌다.

TV를 앞에 두고 가즈오와 둘이서 등을 둥글게 말고 책상다리를 하고서 반짝반짝 빛나는 게임의 세계를 ─ 한가로운 진짜 시골 풍경을 ─ 바라보고 있자니 '정말로 이게 우리들의 여름방학이 되어버리면 어쩌나' 하는 걱정까지 들었다. 게임상에서 우리들은 매일매일 '우리들의 여름방학'에 매우 충실했다.

그사이 8월은 무서운 속도로 흘러가고, 어느 날

일어나 보니 게임 속의 날짜는 8월 31일이었다. 우리가 매일 게임에 너무 빠져들었기 때문에, 이제 클리어가 눈앞에 다가온 것이었다.

　게임 속 세계는 매미 우는 소리가 들리고 여름 끝자락의 센티멘털한 공기로 가득 차 있었다. 그리고 나는 치명적인 사실을 눈치채고 말았다. 진짜 여름방학이 끝나는 것도 슬프긴 하지만, 게임 속의 여름방학이 끝나는 게 훨씬 더 슬프다는 걸.

　8월 31일의 화면이 엔딩에 다다르자 엉겁결에 나는 매달리는 듯한 눈빛으로 옆에 앉아 있는 가즈오를 쳐다봤다. 현실 세계에서는 곧 오봉 명절이다. 가즈오의 아버지와 어머니가 꽉 막히는 고속도로를 몇 시간이나 달려온다. 그리고 가즈오를 데리고 돌아간다. 그렇게 여름방학이 끝나버린다.

　가즈오는 게임 화면을 쳐다보며 얌전한 얼굴로 클리어의 순간을 맞이하려 하고 있었다. 그리고 "아" 하고 혼잣말을 내뱉더니 내 눈을 보고

　"큰일 났어. 8월 32일이 시작됐어"라고 말했다.

　"응?"

　TV를 보니 게임 화면이 이상했다. 배경음악이

사라지고 매미 울음소리도 뚝 그치고 게임 속 세계가 묘한 고요함에 휩싸였다. 다른 캐릭터들도 지구에서 사라져버린 듯 어디에도 보이지 않았다.

가즈오는 재밌다고 게임을 계속하는데, 그러다 보니 게임 속 '나'의 몸이 투명하게 투과되어 귀신처럼 보였다. 8월과 9월 사이, 시공간의 구멍에 뚝 떨어져서 아무도 없는 세계를 헤매고 다니는 아이 귀신. 나는 무슨 영문인지 알 수 없어 "무서워, 무서워" 하고 소리를 질러댔다. 그러다 점점 진짜 공황 상태가 되어 결국 훌쩍훌쩍 울음을 터뜨리고 말았다.

가즈오는 어쩔 줄 모르겠는 듯 "괜찮아"라고 불안스럽게 말하더니 내 머리를 퍽퍽 쓰다듬었다. 누군가의 머리를 쓰다듬은 적이 없는 거겠지. 힘 조절이 엉망이라 상당히 아팠다. 가즈오의 투박한 손길 때문에 내 머리는 계속 욱신욱신했다.

3.

가즈오가 다시 찾아와서 '8월 32일'의 수수께끼를 푼 것은 우리가 대학에 들어갔던 해다. 가즈오는 비행기가 아니라 '청춘 18' 표를 사용해서 완행열차를 타고 우리 마을에 왔다.

역으로 마중 나가보니 가즈오는 키도 훌쩍 커지고 생김새도 누구인지 알아볼 수 없을 정도로 변해 있었다. 티셔츠 한 장만 걸치고 침낭을 끼운 배낭을 짊어진, 선탠으로 새까맣게 그을린 청년. 낯가림도 전혀 없이 내 눈을 똑바로 보고 이야기하고 말도 많아졌다.

가즈오를 조수석에 태우고 핸들을 잡으면서 나는 "너 8월 32일 기억나?" 하고 물어보았다. 가즈오는 기억난다고 말하며, 아무것도 아니라는 듯 "그건 버그야" 하고 명확하게 대답했다.

"게임 역사상 가장 유명한 버그 중에 하나야. 단지 프로그래밍상의 결함이래." 가즈오도 계속 그 수수께끼 현상이 궁금해서 인터넷을 찾아보았다고 했다.

"하지만 알아보지 않는 편이 나았어."

가즈오는 그게 단지 버그일 뿐이었다는 사실을 알고 나서는 아주 시시한 기분이 들었다고 했다. "어린 시절의 가장 큰 미스터리였으니까 그냥 둘걸 그랬어." "맞아"라고 나도 말했다. 그리고 내가 「나의 여름방학」이 현실의 여름방학보다 훨씬 즐거웠다고 하자, 가즈오도 "나도, 나도"라고 말하며 눈을 반짝였다.

"그 여름방학이 인생에서 가장 충실하게 보낸 시간이었을지도 몰라"라고 내가 다시 말하자

"그건 아니거든!" 하고, 가즈오는 웃으면서 부정했다.

확실히 가즈오는 이번 여름방학을 제대로 만끽하고 있는 것 같았다. 성묘를 마치자마자 바로 다시 열차를 타고 어디론가 떠나버렸다.

가즈오는 배웅하러 함께 온 오빠와 꾹 손을 잡고 힘차게 악수했다. 그리고 내 앞에 와서 "그럼, 안녕" 하며 내 머리를 쓱 쓰다듬었다. 살짝 손바닥을 얹는 다정한 터치였다.

못 본 사이에 완전히 어른이 되어버렸네. 나는

기쁘기도 했지만 조금 쓸쓸하기도 했다. 마치 계절의 변화를 아쉬워하는 안타까운 마음처럼.

개찰구 안으로 사라져 가는 가즈오의 뒷모습을 바라보고 있으니 오빠가 "다음에 만날 수 있는 날은 누군가 죽었을 때뿐일걸" 하고 말했다. "그딴 얘기 하지 마!" 하고 나는 오빠 어깨를 찰싹 때렸다. 하지만, 아마 그렇겠지.

가즈오네 가족은 황금연휴에는 가족 여행, 설날에는 친가에 귀성하는 걸로 정해져 있어서 우리 집에는 오지 않는다. 그래서 가즈오랑은 여름에밖에 만난 적이 없다.

Mr. and Mrs. Aoki, R.I.P.

이 세상에는 도대체 어떤 일을 해서 우아한 생활을 유지하는지 알 수 없는 수수께끼 같은 사람들이 있습니다. 분쿄구의 빈티지 맨션에 사는 아오키 씨 부부가 대표적입니다. 남편은 쉰 살이 넘었는데도 마치 아오야마가쿠인 대학에 다니는 학생 같은 분위기가 남아 있고, 서류 가방 대신 입생로랑 보스턴백을 들고 평일 여유로운 시간에 출근합니다. 한편 부인은 내추럴한 세미 롱 헤어에 진홍빛 입술이 트레이드마크. 하지만 시즌마다 신상 립스틱을 사들이기 때문에 사람들이 봤을 때 색이나 광택은 유행을 철저하게 따르는 것처럼 보이고, 같은 메이크

업이라도 결코 진부한 느낌이 들지 않습니다. 맨션 입구에 나타날 때는 멋들어진 리틀 블랙 드레스에 코스튬 주얼리를 차고 늘 하이힐을 신고 있습니다. 시크하지만 어딘가 어두운 구석이 있는 스타일은 아주 살짝이지만 콜걸을 연상시키기도 합니다. 그녀가 그런 모습으로 어디에 가는지는 ― 아무도 제대로 차려입지 않게 된 불경기의 도쿄에서 그런 모습을 하고 사람들 눈에 띄지 않을 수 있는 장소는 한정되어 있습니다 ― 그것은 친한 사람도 모르는, 오직 아오키 부부만의 비밀 중 하나였습니다.

정말이지 그들은 완전히 미스터리한 부부였습니다. 일상생활의 냄새가 전혀 나지 않는 사람들입니다. 토요일은 화제가 되고 있는 미술 전시회나 연극, 혹은 영화를 함께 보고 반드시 외식을 합니다. 일요일은 나란히 헬스장에 가서 운동을 하고, 나머지 시간은 가만히 집에서 보내는 스타일을 고수합니다. 그들은 좋은 식재료를 고집하고 몇 시간 동안 공들여 요리를 만들지만, 설거지는 일절 하지 않습니다. 부부는 출퇴근하는 가사 도우미를 고용하고 있어서 설거지는 가사 도우미의 몫입니다. 평일의 식사 준비부터 청소, 빨래 그리고 쓰레기 배출, 와인 빈 병이나 재활용품 분리도 가사 도우미가 다 맡아서 합니다.

1980년대 후반, 아오키 부부는 잡지에 자주 나오는 힙한 유명 커플이었습니다. 부인은 모델 출신이고(역시!) 남편은 그 당시 크게 추앙받던 지식인인지 문화인인지 잘 모르겠지만, 아무튼 당대의 스타였다고 합니다(음, 지금은……). 구글에 검색해봐도 더 많은 정보는 얻기 힘듭니다. 그들은 세상에서 완전히 잊혀진 존재가 되었습니다.

하지만 아오키 부부는 그런 걸 신경 쓰지 않고 오히려 기분 좋게 느끼는 듯합니다. 주목받고 싶은 욕구도 없을뿐더러 인터넷으로 사람들과 소통하는 일에도 관심이 없습니다. 그들은 현대인으로서는 드물게 자신들의 행복을 남에게 보여주지 않아도 행복을 느끼는 것 같습니다.

매스컴에 나오지 않은 이후로 그들의 생활은 매우 편안해졌습니다. 북적거리던 홈 파티의 단골손님들과 어느새 소원해져서 아오키 부부에게는 이제 친구라고 편히 부를 수 있는 친한 커플도 없습니다. 그래도 그들은 매우 행복해 보입니다. '무엇이 행복일까?'라는 물음은 어려운 질문입니다만, '둘이서 외출할 때는 늘 손을 잡고, 멋지게 치장하고, 레스토랑에서 재미있게 대화를 나누는데 그 이상 뭘 바라는 거야?' 하는 느낌입니다.

행복의 트렌드는 시대에 따라 조금씩 변합니다(그건 그렇지. 패션처럼!). 딩크족이 휩쓸던 시대는 먼 옛날에 지나가 버렸고, 예컨대 지금은 '귀여운 자녀가 있다'는 것이 행복에 불가결한 요소가 되었습니다. 그것이 '귀여운 개'가 되면, 그 행복은 약간 다운그레이드되는 것으로 간주하는 세상입니다(참고로 '귀여운 자녀'도 아기 때가 최고 수준. 아이가 좀 더 커서 사춘기에 접어들면 그 가정의 행복도는 뚝 떨어진다고 여깁니다).

아오키 부부를 둘러싸고 다양한 시대가 지나갔습니다. 아오키 부부는 그동안 패션의 유행과는 계속 발맞춰 왔지만, 사실 행복의 유행으로부터는 꽤 먼 곳에 떨어져 있었습니다. 그래서인지 이 부부에게 예전처럼 잡지 취재 의뢰가 오는 일은 없어졌습니다. 다만 필자같이 호기심 많은 젊은이들이(필자는 아오키 부부와 교류한 지 벌써 10년이 지나 이제 젊은이라 부를 만한 나이는 아닙니다만) 이 부부의 매력에 끌려서 모여들게 되었습니다.

　실제로 아오키 부부에게는 이러한 '팔로워(여기서의 팔로워는 트위터의 팔로워가 아니라 지지자라는 의미입니다)'가 저 외에도 많이 있습니다. 대부분은 젊은이, 그것도 시골에서 도쿄 문화를 동경해서 올라온 듯 보이는 사람들입니다. 조금이라도 더 성장하고 싶은 시기인 그들은 같은 나이대의 학생들과 이야기하기보다 아오키 부부와 고상한 대화를 나누는 걸 선호했습니다. 아오키 부부도 현실에 얽매여 세대적인 대화(육아와 가사, 그리고 부모의 간호!)만 나누는 동년배들보다 젊은이들과 소통하는 것을 좋아했습니다. 아오키 부부는 자기들을 숭배하는 젊은이들을 자기 아이처럼 귀여워했습니다. 맛있는 음식을 사주고 그들과 정보를 교환하며 즐거운 시간을 보냈습니다. 아오키 부부는 젊은이들이 조금 무례한 모습을 보여도 관대하게 대하고 그들의 의견을 잘 들어줬습니다. 젊다고 무시하는 듯한 태도도 없었고, 설교도 일절 하지 않았습니다. 다만 누군가 개성 있는 스타일로 옷 입는 요령이나, 구두를 오래 보존할 수 있는 손질법, 미술품을 사는 의미, 인터넷과 거리를 두는 방법 같은 것들을 물어볼 때는 살짝 가르쳐주었습니다.

아오키 부부가 돌아가셨을 때, 그때까지 그들을 잊고 있었던 언론이 일제히 술렁이고 이렇게 보도했습니다. ― 80년대 최고 잘나갔던 커플, 자살?

시체를 처음 발견한 가사 도우미의 증언과 부검을 통해서 일산화탄소 중독에 의한 사고사라는 것이 밝혀진 후에도 주간지에는 한동안 추측성 보도가 이어졌습니다. 상당한 빚을 안고 있었다는 둥, 정신 질환에 걸려 있었다는 둥. 그뿐 아닙니다. 아오키 부부를 그리워하는 우리 팔로워조차 몰랐던 사실을 언론은 자세히 밝혀내고 지독하게 파고들었습니다.

도쿄에서 태어나고 자랐다고 알려졌던 부부가 실은 둘 다 야마나시 출신이었다는 사실. 남편 마코토 씨가 학생들을 가르치던 대학의 학과가 저출산 문제 때문에 문을 닫아서 몇 년 전부터는 도립

평생 학습 센터에서 영국 문학 입문을 가르쳤다는 사실. 아내 미사코 씨는 이미지 컨설턴트로서 취업 준비생이나 구혼 중인 여성들을 가르쳐왔다는 사실(남자에게 존중받는 여자가 되는 방법을 가르쳤습니다). 그런대로 여유로운 시간을 가질 수 있는 일을 했음에도 살림을 가사 도우미에게 맡기고 편하게 살았던 미사코 씨에 대한 비난이나, 두 사람이 노부모의 간병을 형제에게 떠넘긴 일에 대한 호된 비판도 있었습니다. 그리고 부부의 경제 상황에 대해서 속속들이 쓴 기사도 있었습니다. 그들의 수입이 명품 브랜드를 애용하는 사람의 수입이라고는 도무지 생각하기 어려운 적은 금액이었다는 둥, 그리고 최근 몇 년은 적금을 깨 가면서 살아야 할 정도로 생활이 어려웠다는 둥 아오키 부부의 삶을 어딘지 모르게 부정하는 뉘앙스로 쓴 기사였습니다.

분명히 짐작 가는 부분도 있었습니다. 질 좋은 물건 몇 개만 갖고 사는 우아한 삶이라고 우리는 동경하고 있었습니다만, 아오키 부부의 삶은 우아하긴 했어도 잘 생각해보면 소박했습니다. 그들은 이런 말을 자주 했습니다. "나만의 스타일을 찾기까지 시행착오를 겪으며 돈이 좀 들지만, 스타일을 찾은 뒤에는 돈이 조금만 있어도 충분해요." 1980년대에 시간과 돈을 잔뜩 들여서 이룩한 부부의 스타일은 1990년대, 2000년대에 업데이트를 거듭하면서도 그 기본 스탠스가 바뀌는 일은 없었습니다.

아오키 부부가 죽고 반년 정도 지나니 부부 때리기가 일단락되었고, 이제 그들의 삶은 오히려 재평가되고 있습니다. 고향과 인연을 끊고, 아이도 갖지 않은 채 자신들만의 세계에 몰두하면서, 어떤 의미에서 마음이 가리키는 대로 살아온 아오키 부부의 모습은 그 일관된 삶의 자세 덕분에 다시 주목받게 되었습니다. 그리고 아오키 부부에 관한 책이 출간되면서 아오키 열풍으로 이어졌습니다. 아오키 열풍은 아오키 부부의 팔로워 중 한 사람이 출간한 라이프 스타일 책에서 시작됐습니다. 책의 띠지에 적힌 '진정한 우아함은 돈과는 관계없다'라는 카피가 사람들의 눈길을 사로잡았는데, 그 책이 10만 부가 팔려나가면서 연이어 연관 도서가 출판되었습니다. 아오키 부부의 미공개 스냅 사진이나 여러 가지 애용품, 패션에 대한 고집, 그리고 일요일에 정성 들여 만들었던 요리의 레시피 등을 버무려 편집한 비주얼 북은 선풍적인 인기를 끌었습니다. 그러다보니 아오키 부부는 잡지에 가장 힙한 유명 커플로 다시 등장하게 되었습니다.

요즘 같은 저성장 시대에 만년의 아오키 부부가 실천한 삶은 많은 사람에게 지지를 받고 있습니다. 『버림의 행복론(斷·捨·離)』이나 『심플하게 산다』 같은 책의 인기가 한풀 꺾인 시점에 서점의 라이프 스타일 책 코너에 아오키 부부 관련 서적이 딱 들어맞아서 폭넓은 세대의 독자들을 끌어모으고 있습니다. 아오키 열풍은 거기서 멈추지 않고 마침내 부부의 라이프 스토리가 스페셜 드라마로 만들어지기에 이르렀습니다. 죽기 얼마 전 아오키 부부의 나날들을 담담하게 그린 이 드라마의 마지막 부분에는 1980년대에 찍힌 아오키 부부의 실제 영상이 들어갔습니다.

아날로그 필름으로 찍은 저화질 영상에 담긴 그들은 아직 20대 후반의 결혼한 지 반년밖에 지나지 않은 앳된 신혼부부였습니다. 부인은 여전히 진홍

색 립스틱에 리틀 블랙 드레스, 머리는 길고 가지
런한 검은 머리, 액세서리는 티파니의 오픈 하트.
그리고 남편은 커다란 검정 뿔테 안경을 쓰고, 당
시 유행했던 더블 슈트에 구두는 검은 에나멜 슈
즈. 젊은 두 사람은 아직 세상을 조금 우습게 보는
듯한 눈을 하고, 자기들밖에 모르는 농담을 나누며
낄낄대고 있었습니다. 그들의 웃는 얼굴은 제가 옆
에서 봐왔던 말년의 모습과 다를 바 없이 명랑했지
만 어딘가 쓸쓸해 보였습니다.

저는 아오키 부부의 웃는 얼굴을 보고 문득 깨달
았습니다. 결혼이란 단둘이서 세계와 맞서는 일이
아닐까. 그렇기에 부부란 본질적으로 매우 고독한
존재가 아닐까. 그리고 행복이란 ─ 수수하고 조용
하며 너무나 지루한 무언가가 아닐까.

드라마는 아오키 부부가 그들의 갑작스런 죽음
을 미리 예감한 것처럼 그리고 있었습니다. 패셔너
블하고 고고한 커플의 완만한 자살…….

그들 이외에 어느 누가 그들에 대해 알 수 있겠
습니까?

아무도, 그 어떤 사람도 모릅니다. 그리고 모르

면서 아는 것처럼 말해서는 안 되겠지요. 그래서 제가 아오키 부부에 대해 쓰는 일도 이 글을 마지막으로 끝내기로 하겠습니다.

고고한 갸루 고마쓰양

이 고등학교에는 300명이 넘는 학생이 다니는데 그중에서 '갸루'는 고마쓰 양 한 명뿐이었다. 이 학교는 이 지역 내에서 두 번째로 손꼽히는 진학 명문고다.

고마쓰 양은 쉬는 시간이 되면 언제나 ≪에그(egg)≫나 ≪카와이(Cawaii)≫같이 표지가 번쩍번쩍하는 갸루 잡지를 펼쳐놓고 열심히 읽었다. 그녀의 책상 주위로 마치 금을 그어놓은 것처럼 아무도 그녀 가까이 오지 않았고, 그녀에게는 친한 친구가 단 한 사람도 없었다.

고마쓰 양은 자주 화장실 거울에 얼굴을 가까이

대고 눈썹을 그리거나 마스카라를 덧칠하곤 했다. 1학년 1학기 초에는 아직 정체가 드러나지 않은 고마쓰 양의 기에 눌려서 화장실에 함께 있던 여학생들 모두 고마쓰 양과 눈이 마주치지 않으려고 그녀를 쳐다보지 않고 조용히 손을 씻었다. 그러나 시간이 지나 고마쓰 양이 아무에게도 해코지하지 않는 사람이란 사실을 알게 된 여학생들은 점점 더 노골적으로 그녀를 향해 비난하는 듯한 눈길을 보냈고, 이윽고 고마쓰 양을 비웃게 되었다.

교사들이 고마쓰 양을 대하는 태도는 둘로 갈렸다. 고마쓰 양을 애써 다른 학생들과 똑같이 대하기는 하지만 결국 어떤 형태로든 '이 친구는 상대하기 어렵군' 하는 표정이 얼굴에 나타나는 교사 부류. 그리고 노골적으로 싫은 표정을 감추지 않고 심술을 부리는 운동부 출신 같은 교사 부류. 불행하게도 고마쓰 양의 담임을 맡은 교사들은 3년 내내 후자 쪽이었다.

선생님 운은 좋지 않았지만, 고마쓰 양은 숙제를 빠뜨린 적이 없었고, 지각도 단 한 번도 하지 않았다. 고마쓰 양은 성적이 내려가면 엄청 풀이 죽었고, 교무실에 불려가기라도 하면 언제나 잔뜩 긴장했다. 그러나 아무리 지적받아도 담갈색 머리와 피어싱은 포기하지 않았다. 그 때문인지 아니면 타고난 호전적인 얼굴 때문인지는 몰라도, 고마쓰 양은 아무리 착실한 표정을 지으며 서 있어도 오히려 뻔뻔스럽다고 더 많은 꾸중을 들어야 했다. 영문 모를 일로 야단을 맞으면 깊이 상처받았지만, 겉보기에는 상처받은 아이로 보이지 않았다. 고마쓰 양은 다른 10대들과 마찬가지로 나이브한 성격을 지녔고, 조그마한 일에도 언제나 크게 상처받았다. 그렇지만 그렇게 보이지 않았기 때문에 누구도 그 사실을 눈치채지 못했다.

고마쓰 양은 이성에게도 전혀 인기가 없었다. 일류 대학을 지원하는 남자애들 사이에서 그녀는 성적 망상의 대상은 될 수 있을지언정, 연애 상대로는 고려되지 않았다. 어느 누구도 고마쓰 양에게 좋아한다는 고백을 한 적이 없고 자연스레 고마쓰 양은 이제껏 한 번도 누구와 사귀어본 적이 없다. 고마쓰 양이 원조교제를 한다는 소문이 사실인 양 퍼졌지만, 실제로 그녀는 남자와 자본 적도 없고,

중학교 동창인 시이나 군을 지금도 변함없이 좋아하고 있다.

고마쓰 양의 고교 생활은 천천히 그리고 담담하게 흘러갔다. 고마쓰 양은 공부에 쫓기면서도 루즈삭스와 스커트의 황금 비율과 밸런스를 연구하거나 목욕탕에서 머리카락을 물들이는 데 악전고투하거나, 오락실 인형 뽑기 기계에서 귀여운 열쇠고리를 뽑는 데 집중하면서 여가를 보냈다. 고마쓰 양은 언제나 혼자서, 누구에게도 약한 소리 하지 않고, 뭐 하나 이득이 없는 '갸루의 길'을 구도자처럼 묵묵히 걸어갈 뿐이었다. 고마쓰 양의 고교 생활 3년은 그렇게 흘러갔다.

세상이 끝난 것처럼 불안이 밀려오던 대입 수험전쟁도 끝나고, 고마쓰 양은 어찌어찌 도쿄의 사립대학교에 합격했다. 졸업식장에서는 몇몇 학생들이 사진을 함께 찍자고 제안해서 한껏 갸루 포즈를 취해줬다. 다들 사진이 현상되면 보내준다고 말로는 약속했지만, 아마 아무도 보내주지 않을 거라고 고마쓰 양은 생각했다. 300명 가까운 학생들 중에는 남몰래 고마쓰 양의 고고한 '갸루다움'을 경애하

여 자기 마음의 어떤 주춧돌로 삼고 있는 소수파들도 있었다. 그러나 그런 사실을 고마쓰 양에게 말해주는 사람은 아무도 없었다. 만약 그들 중에 누군가가 고마쓰 양에게 그 사실을 전했다면 그녀는 울음을 터뜨렸을지도 모른다.

봄방학이 시작되고 고마쓰 양은 운전면허 학원에 다니기 시작했다. 봄부터 도쿄에서 살 거니까 당분간 고마쓰 양이 차를 운전할 일은 없었지만, 언젠가는 딸내미가 고향으로 돌아올 거라고 생각하는 부모님이 자동차 면허를 따라고 권유했다. 하지만 고마쓰 양은 그 제안을 단호하게 거부하고 오토바이 면허를 단기간에 따기로 했다. 고마쓰 양은 도쿄에서 대학을 졸업하고 고향으로 돌아올 생각따윈 없었다. 이 동네가 싫은 건 아니었지만, 그녀는 이제 이곳에서는 살고 싶지 않았다.

고마쓰 양은 운전면허 학원에서 동창생 몇 명과 우연히 만났다. 학교에서는 인사도 안 하던 애들이 말을 걸고 몇 번이나 노래방에 가자고 권했다. 노래방을 나와서 모두와 헤어지고 나서 자전거 페달을

밝으며 집으로 돌아오는 밤길에 고마쓰 양의 마음은 언제나 공허했다. 빨리 도쿄에 가고 싶다. 집에 돌아온 고마쓰 양은 도쿄에 정해둔 연립주택의 구조 도면을 꺼내 보면서 가구 배치를 계획하곤 했다.

3월 중순쯤 갑자기 고마쓰 양에게 전화가 걸려 왔다. 부모님이 합격 축하 선물로 사준 휴대폰에 모르는 전화번호가 찍혔다. 받아보니 중학교 때부터 계속 좋아했던 시이나 군이었다. 며칠 전 고마쓰 양이 노래방에 갔을 때 연락처를 교환한 누군가로부터 번호를 알아냈다고 했다. 자기도 모르는 사이에 개인 정보가 새어 나간 건 기분 나빴지만, 오래전부터 좋아하던 시이나 군에게 걸려온 전화라서 고마쓰 양은 기뻤다. "조만간 만나서 같이 놀자"라는 말에 무언가 좋은 일이 하나도 없었던 것 같던 지난 3년을 한꺼번에 보상받은 느낌이었다. 고마쓰 양은 '하느님이 진짜 계시는 모양이구나' 하고 생각했다.

시이나 군은 그날, 고마쓰 양을 데리러 차를 몰고 고마쓰 양의 집까지 왔다. 검은 다운재킷을 입고 있었고, 이상한 향수 냄새가 났다. 차 안에는 '림프 비즈킷'의 노래가 흐르고 있었다. 그렇게 좋아했던 시이나 군이었는데 왠지 고마쓰 양은 그다지 마음이 설레지 않았다. 맨발에 롱부츠를 신은 고마쓰 양은 조수석에 앉아서 '내가 타고 싶었던 건 시이나 군의 자전거 뒷자리였는데……' 하고 생각했다. '시이나 군의 자전거 뒷자리에 타서 교복 차림의 그에게 팔을 살짝 두르고 싶었는데' 하고.

저녁 시간 패밀리 레스토랑에 고마쓰 양을 데리고 간 시이나 군은 그곳을 아지트로 삼고 있는 몇몇 친구와 번갈아 이야기를 나누고, 고마쓰 양이 지루하게 케이크를 먹고 있는 도중에 식당에서 나가자고 했다. 차에 올라타자 시이나 군은 고마쓰 양에게 좋아한다고 말했다. 고마쓰 양은 그 고백이 마음에 없는 빈 고백인 줄 알면서도 될 대로 되라며 자기도 그렇다고 말했다. 오래전부터 마음 한구석에서 바라던 일이 이뤄졌는데도 고마쓰 양은 전혀 설레지 않았다.

무슨 뜻인지도 잘 알 수 없는 시이나 군의 말에 애매한 대답을 반복하다보니 어느새 차가 러브호

텔 주차장으로 들어가고 있었다. 그대로 방까지 끌려가서 정신을 차려보니 침대 위에서 시이나 군이 고마쓰 양의 몸 위로 올라와 있었다. 고마쓰 양은 몹시 혼란스러웠지만, 어디선가 보고 들은 것 같은 신음소리를 흉내 내서 작게 소리를 내고 열심히 흥분한 척했다.

섹스가 끝나자 시이나 군이 곧바로 옷을 챙겨 입는 바람에, 고마쓰 양도 침대 시트 속에서 미아가 된 팬츠와 브래지어를 찾아서 엉거주춤 걸치고 그대로 함께 방에서 나왔다. 방값을 계산할 때 시이나 군이 돈이 부족하다고 해서 3000엔을 보탰다.

차 안에선 서로 아무 말도 하지 않았고, 림프 비즈킷의 시끄러운 음악이 서먹서먹한 침묵을 지워주었다. 시이나 군은 고마쓰 양의 집 앞에 차를 세우고는 "또 연락할게"라고 말하고 붕~ 하고 떠나가버렸다.

고마쓰 양은 이제 연락이 오지 않으리라는 걸 알고 있었고, 시이나 군이 다시는 연락 따위 하지 않았으면 좋겠다고도 생각했다. 그렇지만 고마쓰 양은 울리지 않는 휴대폰을 원망스럽게 바라보면서 나머지 봄방학을 보냈다. 이제 연락은 안 올 거고, 다시 연락이 오길 바라지 않았는데도, 그녀는 계속 시이나 군의 연락을 기다리고 있었다. 고마쓰 양이 빨리 도쿄에 가버리고 싶을 때는 바로 이럴 때다.

지금 고마쓰 양은 도쿄행 특급열차를 타고 있다. 창밖에는 눈에 익은 마을의 풍경이 흐르고, 고마쓰 양은 살며시 눈을 감는다. 그 순간 머릿속에 펼쳐진 것은 고등학교 옥상으로 가는 문 앞에 있던 조그만 층계참이었다. 그녀는 점심시간이 되면 언제나 그곳에서 단팥빵을 씹으며 우유를 마시고, 갸루 잡지를 읽었다. 드라마나 영화에 나오는 고등학교 옥상은 늘 열려 있어서 주인공들이 모이는 곳이지만 그녀가 다닌 고등학교의 옥상은 자물쇠로 단단히 잠겨 있었다. 거기에 오는 사람은 고마쓰 양 말고는 아무도 없었다.

옥상 아래 층계참의 형광등은 3년 동안 내내 고장 난 채로 있었다. 빛이 껌뻑껌뻑하고 좌우로 흔들리면서, 회색과 칙칙한 하늘색으로 칠해진 벽을 더욱 썰렁하게 만들었다. 겨울철에는 추워서 몸이 꽁꽁 얼어붙을 정도였다. 그녀 곁에 있어준 건 빨간 소화기뿐이었다.

그 장소를 떠올리면서 고마쓰 양은 눈물이 날 것 같다. 그녀는 눈물을 참으며 그런 기분이 들 때면 늘 그래왔듯이 '인생은 지금부터야'라고 자기 자신에게 말을 건넸다. '내 인생은 분명 지금부터야. 내 인생은 이제부터 무조건 즐거울 거야. 즐거운 일은 모두 지금부터 일어날 거야.' 단지 그 말만이 언제나 고마쓰 양의 마음을 지탱하는 오직 단 하나의 친구였다.

노는 시간은 금방 끝난다

그 2층짜리 쇼핑센터는 가가미와 내가 초등학교 2학년이 되던 해에 완공됐다. 정식 명칭은 '쇼핑센터 세일·프렌들리 세프레'다. POP 글씨체로 '세프레'라고 써놓은 큐브형 간판과 옥상 주차장 사이에 커다란 미끄럼틀 같은 슬로프가 설치되어 있던 건물은 마치 입체 주차장 장난감처럼 다이내믹해서 어린아이의 가슴을 두근거리게 만들었다. 세프레는 내가 그때까지 봐왔던 어떤 건물보다도 컸고, 터무니없이 넓은 주차장이 있던 1층에는 당시에는 아직 생소하기만 했던 '모스버거'가 입점해 있었다.

　　우리는 어린 시절 대부분을 학교와 집을 빼고는

세프레에서 보냈다. 세프레밖에 갈 곳이 없었으니까. 세프레에 있는 서점에서 《세븐틴》을 사서 돌려 읽고, 세프레에 있던 잡화점에서 똑같은 필통을 사서 우정의 증표로 삼았다. 캔 필통이 주류였던 교실에 지퍼가 달린 비닐 필통을 처음 들고 온 것도 우리였다. '세서미 스트리트' 캐릭터가 그려진 필통. 특별히 세서미 스트리트를 좋아하진 않았지만 세프레의 잡화 코너에는 세서미 상품밖에 없었기 때문에 '뭐 그럭저럭 괜찮네' 하고 산 필통이었다.

우리에게 쇼핑이란 원하는 물건을 사는 행위라기보다는 세프레에서 파는 물건을 사는 행위였다. 태어나서 처음으로 스티커 사진을 찍은 곳도 세프레 오락실이었고, 고등학교를 다니던 어느 해에 여름 아르바이트를 한 곳도, 첫 남자 친구와 데이트를 한 곳도, '시세이도' 마스카라를 사서 화장을 익힌 곳도 모두 세프레였다.

어릴 때는 하루걸러 한 번씩 식료품을 사러 가는 엄마를 따라 세프레에 다녔지만, 조금 더 자란 초등학교 5학년 때부터는 방과 후에 친구와 함께 세프레에 갔다. 고작 집에서 1킬로미터 정도에 불과했던 행동반경이 가가미와 같은 반이 되고부터는 부쩍 넓어져서 자전거를 타고 혼자서도 세프레에 갈 수 있게 됐다. 가가미와 나는 그 후 10년 동안 절친으로 지냈다. 다른 사람들은 '유키'라고 이름을 불렀지만, 나만은 '가가미'라고 성을 불렀다. 그게 더 친한 느낌을 주고 어른스러워 보였으니까.

그 가가미 유키가 지금은 남편의 성을 따라 다카하시 유키라는 평범한 이름이 되어 카시트에 딸을 태우고 저녁 반찬을 사러 세프레 식료품 코너에 가는 것이 일과라고 한다. '이 동네는 여전히 세프레 밖에는 갈 곳이 없나' 하고 생각했는데, 가가미가 세프레에 자주 가는 건 아이가 있기 때문이었다. 교외에는 더 세련된 쇼핑몰이 생겨서 20대 여자들이 선글라스를 끼고 프라푸치노인지 뭔지를 마시러 가는 듯하다.

"우리도 아직 20대잖아" 하고 말하니 가가미는 "아니. 그런 느낌 이제 전혀 없거든!" 하고 뾰로통한 말투로 대꾸했다. "아이가 태어나고부터는 생활권이 좁아져서 그나마 가장 편한 곳이 세프레야" 하고 웃었다. 오랜만에 만날 장소를 정할 때도 가가미는 "세프레 어때?"라고 말했다. 마치 학교 복도에서 방과 후 약속을 정하는 듯한 느낌으로. 추억 찾기 하려고 여기 다시 온 것도 아닌데……. 물론 가가미가 빈정대는 투로 한 말은 아니었다.

"좋아" 하고 내가 바로 대답했을 때, 세프레에 대한 내 스탠스를 ─ 향수와 사랑을 담은 조소를 ─ 리액션에 담아 더 잘 표현했으면 좋았을걸. 1980년대에서 시간이 멈춘 것 같은 푸드 코트에서 가가미는 딸과 함께 우동을 먹고, 나는 종이컵에 담긴 묽은 커피를 홀짝홀짝 마셨다. 우동, 메밀국수, 라면, 오코노미야키, 아이스크림, 감자튀김과 햄버거. 음식점 간판의 네온사인이 군데군데 꺼져 있어서 세프레 전체가 '동일본 대지진' 직후의 도쿄처럼 어두웠다. 사방에서 화학조미료 냄새가 물씬 풍겼다.

초등학교 때 이곳에서 먹었던, 말로 다 표현할 수 없을 정도로 맛있었던 우동 맛을 떠올렸다. 멜라민 그릇을 치켜들고 국물까지 싹 다 마셔버렸던 우동. 그 우동의 정체가 '카토키치(도쿄에 있는 냉동식품회사 ㈜테이블마크의 전신 ─ 옮긴이)'의 냉동 우동이었다는 사실을 알게 된 건 여름방학 단기 아르

228

바이트로 푸드 코트의 주방에 들어간 고1 때의 일
이었다. 생전 처음 한 아르바이트 때문에 세계의
비밀이 순식간에 풀렸다. 탈의실이 있는 뒤뜰의 황
량한 분위기, 폐점 후에 사용하는 종업원 전용 출
입구, 푸드 코트에서 본 아르바이트생들의 여러 모
습들. 일이 너무 힘들어서 두 번 다시는 음식점에
서 일하지 않겠다고 다짐했다.

　"가게가 많이 비어 있네"라고 내가 말하자,

　"평일이니까 그렇겠지?"라며 가가미는 대수로운
일이 아니라는 듯 대답했다.

　나는 평일이라 사람이 없는 게 더 신경 쓰였는
데. 언제나 사람들로 붐비던 푸드 코트가 지금은
우리 외에는 거의 손님이 없고, 점원들은 대화도
없이 한가하게 스마트폰을 만지작거리고 있다니.
내가 고등학생일 때까지만 해도 아직 세프레 잘나
갔는데 말이야. 여기서 방과 후 몇 백 시간을 보내
고, 여러 커플이 데이트하는 모습을 목격했다. 그
런데 지금은 학생이라고는 눈 씻고 찾아봐도 없다.
수업을 빼먹고 세프레에서 땡땡이치는 고등학생이
한 명도 없다니. 다른 임대 매장들도 내가 마지막

으로 왔을 때와는 완전 딴판이었다. 신나게 스티커 사진을 찍었던 오락실은 '다이소'가 되고, 잡지 발매일마다 가슴 두근거리며 찾았던 책방은 노인 간호 용품 매장이 되고, 학교에 신고 갈 운동화를 산 구두 가게엔 중장년용 검은색 안전 구두만 진열되어 있었다. 화장품 가게만큼은 여전히 그대로였는데, 신상품 광고 문구를 POP 글씨로 쓰고 코팅해서 홍보하고 있었다. 틀림없이 가가미의 딸도 나중에는 혼자 세프레에 올 수 있게 되고, 여기서 마스카라를 사서 화장을 배울 거야. 그전에 중학교에 올라갈 무렵, 같은 반 남자애한테 "야, '세후레' 하고 말해봐"라고 역겨운 희롱을 받고는 그 말이 뜻하는 바를 알고 나서 충격을 받기도 하겠지. 우리들의 추억이 담긴 세프레와 섹스 프렌드의 줄임말인 '세후레'는 억양이 다르다. 우리의 세프레는 '하카세(박사)'처럼 첫 번째 음절에 악센트가 있기에 어딘가 청결감이 있다. 세프레를 만든 사람들이 쓰던 어휘 중에 그런 외설적인 단어가 없었기 때문에 무심코 점포 이름을 이렇게 순진하게 지은 걸까 하고 생각하니 왠지 더 사랑스럽게 느껴졌다. 중요한 건 이렇게 생각하게 되기까지 10년이 걸렸다는 거지만.

　푸드 코트의 휑한 모습과는 대조적으로 식료품 매장 쪽은 사람들로 북적거렸다. 가가미에 물어보니 "오늘이 바로 포인트를 5배 주는 '럭키 포인트 데이'야"라고 했다. 그래 봤자 적립해주는 금액이 얼마 안 된다는 건 이미 다 알려져 있고, 포인트 카드는 손님을 몰리게 하려는 상술이라는 것쯤은 쉽게 알 수 있다. 일부러 사람들이 붐비는 날 쇼핑 나와서 이 장사진에 줄 서는 노력을 생각하면 수지가 안 맞는 일이다. 2리터짜리 페트병이 몇 개나 든 무거운 쇼핑 바구니를 팔에 걸고서 포인트 카드와 집에서부터 가져온 에코백을 들고 긴 시간 줄을 서 있는 사람들을 보다가 문득 '참 한가한 사람들이로군' 하는 생각이 들었지만, "럭키 포인트 데이는 절대 놓치지 않을 거야"라고 눈을 반짝이며 다짐하는 가가미의 모습을 보고서는 그 말을 입 밖에 내지 않길 잘했다고 생각했다.

　물론 한가하다는 말이 가가미의 기분을 거스르

리라고는 생각하지 않는다. 하지만 서로 너무너무 오랜만에 만나는 거라 요즘 가가미의 관심사를 잘 모르기 때문에, 겨우겨우 대화를 이어나가는 느낌이었다. 공통의 화제도 없고 옛날이야기도 별로 안 꺼내서 침묵의 시간이 자주 있었지만, 가가미는 그마저도 별로 신경 쓰지 않았다. 원래 성격 때문인지, 아니면 엄마가 된 사람만이 갖는 특유의 대범함 때문인지는 몰라도 가가미는 어쩐지 자의식이 결여된 사람 같았다. 그렇게 느껴서인지 모르지만 왠지 서로 소통이 잘 안 됐다. 가가미에게 좀 맞춰주고 싶어서 내가 "우리 엄마도 럭키 포인트 데이 짱 많이 가"라고 알랑거리며 말을 건네도 "기본이지" 하면서 그저 가볍게 흘렸다. 가가미는 딸에게 우동면을 거의 다 덜어주었다. 그릇은 옛날 그대로 멜라민 그릇이었다. 그릇에 빛이 반사되니 가느다랗게 금이 많이 나 있는 게 보였다. 우리가 다니던 초등학교에서 급식할 때 사용했던 식기도 그랬다.

― 아프리카 아이들이 굶어 죽는데 음식물을 남기다니 용서 못 해!

초등학교 5학년 때 담임은 '사치는 만인의 적'이

라는 듯 강한 어조로 밥 남기는 아이를 혼냈다. 그래서 급식시간에는 항상 긴장감이 감돌았다. 편식을 일삼던 내가 선생님에게 혼나지 않고 급식시간을 무사히 헤쳐나갈 수 있었던 건 가가미 덕분이었다. "조금만 줘" 하고 간청했는데도 반찬을 산처럼 가득 담아준 식판을 들고 어찌할 바를 모르고 있으면, 어딘가에서 가가미가 나타나서 아무 말도 하지 않고 젓가락으로 슬며시 내가 싫어하는 반찬을 자기 식판에 옮겨 담아주었다. 가가미는 내가 못 먹는 음식을 모두 알고 있어서 내가 따로 부탁하지 않아도 스윽 하고 나타나서 도움을 주었다. 선생님도, 입이 싼 남학생도 우리 행동을 눈치채지 못하도록 절묘한 각도와 최소한의 움직임으로 가가미는 내 접시에서 브로콜리 무침과 삶은 콩을 몰래 가져가주었다. 눈길도 마주치지 않고, 은혜를 베푼다는 과시도 없이. 다른 사람을 도와줄 때 그렇게 쿨하게 행동하는 사람을 나는 가가미 말고는 만나지 못했다. 가가미는 외동딸인데도 언니처럼 듬직했다. 키는 반에서 가장 큰 편이었고, 생리도 빨랐고, 가슴도 제법 부풀어 있었다. 어쩌면 그래서 언니 같은 역할을 억지로 떠맡았던 걸 수도 있다. 초등학교 때는 아주 어른처럼 보였는데 어느새 내 키가 가가미보다 더 커졌다. 가가미는 우동 그릇을 반납구로 돌려주고 새 물을 떠서 돌아오자마자 토트백을 부스럭거리며 패션 핑크 색깔의 담배 케이스를 꺼냈다.

"피울래?" 하고 물어서 "끊었어"라고 말했다.

"엥~?" 가가미는 뜻밖이라는 눈길을 했다.

"뭐 불만 있냐?" 나는 좀 거친 말투로 받아쳤다.

가가미의 가느다란 멘톨 담배가 한 모금씩 들이마실 때마다 붉게 타올랐다. 엄지손가락으로 재를 털 때 손목에 긁힌 상처 같은 게 눈에 들어왔다. 손목에만 특히 주름이 많이 생겼구나 하고 생각했지만, 아니었다. 그건 손목을 그은 자국이었다. 가가미는 애써 그 흉터를 숨기지 않는 것 같았다. 팔찌를 겹쳐서 낀다거나, 리스트밴드를 찬다거나, 긴소매 옷을 입는다거나, 흉터를 감추는 방법은 여러 가지 많았을 텐데.

오히려 그 상처는 기가미가 사는 세계에서는 훈장일지도 모른다. 열심히 살아온 증거랄까, 아수라

장을 빠져나온 증거랄까, 그런 것들을 의미하는 기호일지도 모른다. "그 손목 어떻게 된 거야?"라고 가볍게 물어봐도 되는 걸까. 물어보면 나도 자기를 이해해주는 사람이라고 생각해줄까? 그런데 혹시 정말 심각한 트라우마가 있으면 어쩌지.

밥을 다 먹은 가가미의 딸이 따분함을 견디지 못하고 귀가 찡하게 울리도록 괴성을 질렀다. 나는 놀라서 무심코 얼굴을 찡그렸지만, 가가미는 전혀 꿈쩍도 않고 "그래, 그래" 하고 가볍게 어르고는 내버려두었다. 이렇게 사람이 적으면 주위 사람들에게 굽실거리지 않아도 되니까 편하다고 했다. 세프레에는 정말 슬퍼질 정도로 사람이 없고, 활기도 없었다. 내가 "다른 사람들은 다 어디서 놀고 있는 거야?" 하고 푸념하니까 가가미가 이내 "이온 쇼핑몰이지" 하고 되받아쳤다.

"거기는 좀 멀지 않아? 자동차로 2시간 정도 걸리잖아."

"이온 쇼핑몰 기타쟈스점 말하는 거지? 거기 지금은 길이 좋아져서 두 시간도 안 걸려. 그리고 새로 생긴 난쟈스점(이온 쇼핑몰 미나미 쟈스코점 ─ 옮긴이)은 차로 30분 정도니까."

"거길 난쟈스라고 부르는구나? 하하."

초등학교를 졸업한 봄방학, 가가미와 나는 버스
를 타고 기타쟈스까지 원정길에 오른 적이 있다.
언제나 가족과 함께 가던 그곳에 아이 둘이서만 가
는 것은 대모험이었다. 어디를 가든 부모님 차로만
이동했던 나는 버스를 타는 일 자체가 처음이어서
모든 것이 신기하게 보였다.

버스 바닥은 너덜너덜한 낡은 나무로 되어 있었
다. 정차 버튼은 '딩동' 하고 울리지 않고 '부~~' 하
고 울렸다. 그 '부~~' 소리가 왠지 모르게 웃음 선
을 건드려서 둘이서 웃음보가 터지고 말았다. 우리
는 긴장한 채로 닳고 닳은 벨벳 의자에 나란히 앉
아 두 시간 가까이 이리저리 흔들리며 기타쟈스로
향했다. 가장 뒷자리, 우리가 가장 좋아하던 자리
에는 기타쟈스로 가는 도중에 버스에 올라탄 여고
생 언니 세 명이 앉아서 쉼 없이 떠들고 있었다. 그
여고생 언니들 주위에는 지켜보는 사람의 가슴까
지 벅차오르게 만드는 즐거운 공기가 아우라처럼

어른거렸다. 그 모습은 페툴라 클락의 「사랑의 다운타운」과 세트로 각인되어서, 내 마음속에서 '여고생'이라는 단어를 떠올릴 때면 지금도 그 광경이 떠오른다.

버스정류장에서 기타쟈스까지는 꽤 거리가 있었다. 교통량이 많고, 넓기만 한 도로를 건너서, 세프레 주차장과는 비교도 안 되게 엄청나게 큰 주차장을 가로질러 간신히 입구에 도착했다. 부모님을 졸라서 기타쟈스에 왔을 때는 귀여운 가게에 정신이 팔려 있으면 금방 집에 가야 할 시간이 돼버리고, 물건을 사달라고 떼를 써도 야단맞을 뿐이라 별로 즐길 수가 없었다. 그래서 가가미와 단둘이 이온으로 놀러 왔다는 사실만으로도 굉장한 해방감이 느껴졌다. 처음에는 기분이 완전히 업되어서 어디로든 튀어나갈 것처럼 흥분했지만, 점점 흥분이 가라앉자 누가 먼저랄 것도 없이 가만히 둘이서 손을 잡았다. 왠지 불안한 마음으로 가운데가 직사각형으로 뚫려 있는 긴 회랑을 터벅터벅 걸었다. 무서운 사람이 말을 걸면 어쩌지? 시키지도 않은 서비스를 받고 원하지도 않은 물건을 억지로 사게 되면 어쩌지.

봄방학 중이라서 그런지 이온에는 우리와 비슷한 또래 아이들이 많이 보였다. 중학생과 고등학생이 곳곳에 모여 있었다. 잠시라도 잡은 손을 놓으면 가가미와 갈라지고 미아가 되어서 그대로 생이별할 것 같은 느낌이 들었다. 너무 넓은 이온의 규모에 종종 넋을 놓고 있다보니 무사히 귀가하고 싶다는 생각도 들었다. 빨리 집에 돌아가고 싶다. 하지만 이대로 돌아갈 수는 없다. 모처럼 이렇게 멀리까지 왔으니 무언가는 얻어가야지. 추억을 만들든지, 아니면 여기에서만 살 수 있는 아주 좋은 물건을 살 때까지는 절대 돌아갈 수 없다.

"아, 맞다. 이거 받아. 뭐 대단한 건 아니지만."

이렇게 말하면서 나는 쇼핑백을 내밀었다. 가가미에게 줄 선물을 고민을 거듭하다가 지쳐서 결국 황급히 '도쿄 바나나(도쿄 특산품 과자 시리즈. 연간 40억엔 정도가 팔린다 ― 옮긴이)'를 한 상자 사 왔다. 신칸센을 타고 오는 동안 내내 '몇 년 만에 만나는 친한 친구한테 이런 걸 주다니…… 싫다. 싫어' 하고 후회하면서 왔지만, 가가미는 눈을 반짝반짝 빛내며 "웅? 도쿄 바나나가 뭐야?"라고 천진난만하게 물었다. "도쿄는 원래 병아리 과자 아니야?"라면서 킥킥대는 모습이 정말로 기뻐 보였다.

"이제 도쿄는 병아리 과자가 아니거든. 지금은 도쿄 바나나가 대세야"라고 내가 말하자 마치 쇼와 시대에서 타임 슬립이라도 한 사람처럼, "진짜? 몰랐네!"라고 놀라워했다.

"도쿄에 한 번도 안 가봤니?"

"디즈니랜드는 매년 가고 있어. 아, 디즈니랜드는 도쿄가 아니라 치바(千葉)라고 지적하고 싶지?" 가가미는 의심하듯 눈길을 보냈다.

"그런 한물간 개그 하지 마!"

내가 말을 거칠게 내뱉으니 가가미는 하하, 웃으며 기쁜 듯이

"항상 직행버스를 타고 갔기 때문에 도쿄역 같은 덴 가본 적 없어"라고 말했다.

딸이 과자를 먹고 싶다고 조르자 가가미는 겉 포장을 쫙 찢어서 상자 안에서 개별 포장된 '도쿄 바나나'를 꺼냈다.

"우와. 진짜 바나나 모양이네. 웃기다."

딸도 과자를 보고 매우 기뻐했다.

"하하, 잘됐네. '고맙습니다' 해야지."

딸 귀에는 그 말이 전혀 들리지 않는 것 같았다.

지금 가가미가 있는 이 세계는 평화로워서 좋겠다. 부드럽고, 소박하고, 사랑스럽다. 지금 내가 속해 있는 세계는 엄청나게 세련된 신상품 과자를 아무렇지도 않게 간단한 선물로 사 가는 사람이 찬사를 받는 곳이다. 한낱 과자라 해도 그것은 자신의 문화적 소양을 어필하는 사교상의 중요한 아이템이다. 잔소리 많은 아줌마 같은 그런 식의 예의범절이란 건 ― 어떤 종류의 품위는 ― 사람에게 때로 상처를 주기도 한다. 하지만 어느새 그런 허세가 나 자신에게도 배어서 가가미에게 줄 선물을 사려고 일부러 도쿄산 과자를 특집으로 꾸민 무크 잡지까지 읽고 말았다. 선물로 뭐가 좋을까 이것저것 고민한 끝에 결국 도쿄 바나나를 선택한 나는 스스로 '왜 이렇게 촌스러울까?' 하고 스트레스를 받고 있었는데, 바로 그 도쿄 바나나가 정답이었다. 정말이지 타메이케산노우까지 가서 '주커베카라이

카야누마(오스트리아 국가 공인 과자 장인이 만드는 도쿄의 과자 가게 — 옮긴이)'의 쿠키 같은 걸 사지 않아서 다행이었다. 일부러 예약해서 쿠키를 사거나, 쿠키를 사기 위해 장사진을 치거나 하는 일은 이 동네에서는 다 부질없는 일이었다. 도쿄에서만 통용되는 잘난 체하는 차가움에 싫증이 나서 눈앞에 있는 가가미의 순수함을 와락 끌어안고 싶어졌다. 어느 쪽 세계에도 정확하게 딱 들어맞지 않는 나는 그 중간쯤에서 어느 쪽에도 속하지 못한 채로 둥둥 떠다니고 있다.

"뭐야? 거짓말이지?! '애니메이트'가 없어?"

버스로 두 시간 걸려 달려간 기타쟈스에서 층별 안내도를 보면서 열두 살의 가가미가 외쳤다. 기타쟈스에 만화 관련 상품을 파는 가게 '애니메이트'가 들어왔다는 소식을 듣고 일부러 여기까지 온 가가미였다. 만화 『유유백서』에 흠뻑 빠져 있었던 가가미는 같은 반 친구 누군가가 가지고 있던 쿠라마와 히에이의 굿즈를 찾아서 이 멀리까지 왔지만 애니메이트는 어디에도 없었다. "기타쟈스의 애니메이트에서 샀다고 했는데!"라며 진심으로 분통을 터뜨렸던 가가미. 사기가 뚝 떨어졌고 말수도 확 줄었다. 물론 그 당시에는 인터넷이 없어서 불확실한 정보에 마구 휘둘리는 일이 많았다. 우리는 어쩔 수 없이 500엔 정도 하는 머리 끈을 이것저것 구경하며 기타쟈스를 둘러보았다.

"이거 귀여워", "정말 귀여워", "이것도 예뻐", "아, 정말이야. 가가미한테 진짜 잘 어울리겠다", "정말······?" 옷 가게에는 멋진 원피스와 예쁜 프린트 티셔츠가 넘쳐 났지만 우리가 애용하던 브랜드인 '스즈탄'보다 싼 옷은 좀처럼 팔지 않았다.

여기저기 돌아다니다 결국 마지막에 집어 든 것은 '미치코 런던'의 검은색 나일론 필통이었다. 중학교는 교칙이 엄격해서 캐릭터 문구는 쓸 수 없다는 얘기를 들었으니까. 우리는 "이거, 세프레에서도 팔고 있었는데" 하고 웃으면서 카운터 앞에 섰다. 둘이서 똑같은 필통을 사서 점원에게 포장해달라고 부탁한 후에 서로에게 선물해주기로 했다. 이곳의 포장지는 세프레와 달리 조그맣고 귀여운 꽃무늬였다. 점원이 포장지에 핑크색 리본을 십자형

으로 묶어주자 우리는 얼굴을 마주 보며 말없이
'꺄~' 하고 속으로 외쳤다. 벤치에 앉아 방금 전에
산 필통을 교환하자 드디어 중학생이 됐구나 하는
생각이 밀려왔다. 사람들로 북적대는 이온 1층을
바라보며 우리는 잠깐 사이에 어린이의 시대가 끝
났다는 예감에 사로잡혔다.

　필통을 사는 성과를 올리고도 아직 집으로 돌아
갈 기분이 아니었다. 여기까지 온 이상 더 즐거운
추억을 만들어야지. 누군가 아는 사람을 만나지는
않을까 생각하면서 걷다가 엄마와 함께 가는 같은
반 남자애를 발견했지만 눈이 마주치자마자 부끄
러워서 눈길을 돌렸다. 가가미에게 말하면 "누구야
누군데?" 하고 다그칠 것 같아 잠자코 있었다. 속속
들이 모르는 가게가 나타나고, 넘쳐나는 팬시한 상
품들을 보면서 우리는 끊임없이 흥분했다. 특히 잡
지에서 자주 보았던 더 바디샵(The Body Shop)이
눈앞에 나타났을 때는 둘 다 감격스러워했다. 막다
른 골목에 고즈넉하게 자리 잡고 있는 점도 어른스
럽게 느껴졌고, 맡아본 적 없는 향기가 가게 주변
을 감돌아서 거기만 따로 외국 같았다.

더 바디샵에 들어가서 구석구석까지 둘러보았지만 우리가 살 만한 가격의 상품은 하나도 없었다. 가가미가 겨우 찾아낸 배스 볼을 둘이 돈을 보태서 산 다음 반으로 잘라 나눠 가졌다. 배스 볼의 용도는 물론 몰랐다. 나중에 욕조에 넣었더니 미끌미끌 거품투성이가 돼서 "미끄러지면 위험하잖아" 하고 부모님께 혼이 나기도 했다.

더 바디샵에서 시간을 꽤 많이 보냈는데도 아직 돌아갈 마음이 들지 않았다. 왜냐면 아직 뭔가 더 즐거운 일이 일어날 것만 같았으니까. 여기엔 뭔가 있을 것 같다. 뭔가 일어날 것 같아. 누군가를 만날 수 있을 것 같아. 그런 기대만 하염없이 쌓여갈 뿐이었다. 겨우 몇 시간만 머무는 걸로는 전혀 성에 차지 않았다. 오히려 갈증이 더 커졌다. 그와 동시에 한편으로는 빨리 평소에 있던 곳으로 돌아가서 편히 쉬고 싶다는 마음도 솟구쳐서 슬퍼졌다. 집으로 돌아오는 버스를 무사히 탔을 때는 안도감이 밀려와서 가가미와 둘이서 포개져서 잠이 들었다. 중학교에 올라가고 나서부터는 가가미도 '애니메이트'에 가고 싶다고 말하지 않게 되었다.

가가미와 나는 중학교 때 달리기가 별로 빠르지도 않은 주제에 육상부에 들어가는 실수를 하고 말았다. 정말로 왜 육상부를 선택했는지 이유를 모르겠다. 매일 10킬로미터 정도 뜀박질을 하고선 비명을 지르고는 여름방학이 시작되기 전에 얼른 육상부를 그만두었다. 2학기에는 운동부 중에서 가장 무난한 탁구부에 들어갔는데, 그때부터 우리는 학생들 사이에서 상당히 그늘진 아이들로 통했다. 아무래도 그즈음부터 우리 인생에 흠집이 난 느낌이다. 가가미는 그 당시 같은 아파트 단지에 살고 있던 선배에게 영향을 받아 어중간하게 불량소녀 티를 내고 다녔지만.

우리는 속상한 일이 있으면 기분 전환할 겸 기타쟈스에 갔다. 세프레에서는 중학교 선배를 마주치기도 하니까 기타쟈스에서 노는 게 훨씬 마음이 편했다. 두 시간이나 걸리는 버스를 타는 것보다 전철을 타고 가다가 도중에 키타쟈스와 근처 역을 왕복하는 무료 셔틀버스로 갈아타는 것이 돈도 훨씬 적게 들고 빨리 도착했다. 셔틀버스에는 노인들이 많이 타고 있었다. 소풍 가는 느낌으로 즐거워하는 할머니들을 보면 '편안하니 좋아 보이네' 하는 생각이 들었다. 기타쟈스로 가는 버스를 탈 때 으레 우리는 생기 없는 눈으로 창밖을 내다보았다. 딱히 거기가 싫었던 것은 아니지만, 왠지 그런 얼굴이 되어버리게 만드는 경치 탓이었다.

기타쟈스에 도착하면 우리는 오로지 옷만 보았다. 옷 가게 말고는 '미스터 도넛'만 갔다. 기타쟈스에 입점해 있는 옷 가게는 잡지에도 안 나오는 수수께끼 같은 가게들뿐이었는데 어디가 잘나가는 브랜드인지, 어느 곳이 시시한 브랜드인지 우리는 전혀 몰랐다. 그렇게 옷 가게들을 뻔질나게 드나들었지만 우리는 어디에 가더라도 기본적으로 교복을 입고 갔다. 옷을 사고 또 샀지만 우리 둘 다 사복 패션에는 영 자신이 없었다. 고등학교에 진학하자 가가미는 정통적인 여고생 캬루로 안정적으로 진화했다. 나는 그냥 평범한 여고생. 전차를 타고 통학하게 되면서 기타쟈스에는 거의 일주일 간격으로 다녔다.

기타쟈스의 바보같이 넓은 가게 안에서 딱 한 번 가가미를 놓쳐버린 적이 있다. 그때는 핸드폰도 없어서 그랬는지 정말 눈앞이 캄캄했다. 내가 먼저 돌아가버리고 난 뒤에 만약 가가미가 혼자 남아서 나를 찾으면 미안하니까, 뭘 어떻게 해야 할지 몰랐다. 안내 방송은 쪽팔려서 싫고. 그때 왠지 나도 모르게 머릿속에 더 바디샵이 떠올라서 2층 막다른 곳에 있는 더 바디샵으로 향했다. 어떤 직감이 작용했던 것이다. 가게 앞에 도착하니까 손을 흔들고 있는 가가미가 있었고 우리는 서로를 꼭 껴안았다. "텔레파시 느꼈어"라는 가가미에게 "나도! 나도 느꼈어!"라고 흥분해서 말했고, 뛰어오르면서 또 한 번 포옹을 했다. 그 뒤로 우리 사이에는 기타쟈스에서 길을 잃으면 더 바디샵 앞에 모이는 게 암묵적인 약속이 됐다.

고등학교를 졸업한 후에 우리 두 사람은 모두 프리터가 됐다. 세프레의 '모스버거', '로손', '가스트' 등 이곳저곳을 옮겨가며 마음 가는 대로 일했다. 둘 다 운전면허를 땄지만 차는 내가 몰았다. 우리 엄마는 전업주부라 저녁 찬거리를 사러 갈 때만 차를 썼기 때문에 나는 마음껏 차를 빌릴 수 있었다. 일이 끝나면 교외의 패밀리 레스토랑에서 밥을 먹고, 근처에서 아는 사람이 놀고 있다는 소식이 들리면 달려가서 별 목적 없는 지루한 시간을 함께했다.

그 시절에는 어쨌든 여러 사람과 얽혔다. 중학교에 진학한 뒤로 우리는 꽤 마이너한 존재로 전락해버렸지만, 그런 흑역사는 사람들 사이에서 ― 주로 중학교 동창 남자애들 사이에서 ― 완전히 잊혀졌다. 그들로서는 어차피 여자는 다 같은 여자였다. 한 번도 말을 나눈 적 없는 남자 동창이 어느 날 갑자기 핸드폰으로 전화를 걸어와서 "지금 나올 수 있니? ○○고교 누구누구가 너를 만나게 해달라고 하는데" 하고 불러냈다. 그 후로 핸드폰으로 그런 연락이 끊임없이 걸려왔다. 부르면 기꺼이 갔고, 언제 어디서나 환영받았다. 우리는 아주 젊었고, 그리고 여자였으니까. 아무도 부르지 않으면 불안할 정도로 항상 여러 사람들에게 둘러싸여 있었다. 모르는 집, 같은 반 친구네 집, 패밀리 레스토랑, 편의점 주차장, 세프레, 이온, 바다, 산, 노래방, 볼링장, 체인 선술집에서 언제나 누군가와 함께였다. 사람들과 너무 자주 같이 있다보면 점점 더 혼자 있는 시간을 견딜 수 없게 된다.

하지만 외로움을 느끼기 전에 누군가로부터 꼭 연락이 왔다. 종종 이상한 일도 당했다. 좀처럼 가가미와 헤어지지 않으려는 남자로부터 협박을 당하거나, 말도 안 되는 카사노바 같은 남자를 사랑해서 울거나 ― 이건 내 경험이다 ― 했다. 하지만 곧 다른 누군가가 나타나서 위로해줬고, 그렇게 시간을 축냈다. 우리 둘의 연락처가 남자들의 비밀 네트워크에 뿌려졌나 싶을 정도로 마치 선수 교체처럼 누군가가 새로 나타났다. 우리로서는 그 하나하나를 다 연애라고 쳤지만 냉정하게 생각하면 그냥 먹혔을 뿐이라고 생각한다. 여러 남자들과 알고 지냈지만 이름조차 기억나지 않는 사람도 많다. 아마 남자들도 마찬가지일 거다. 내 이름 같은 건 모를 테고, 얼굴조차 떠오르지 않을 거다.

가가미의 스마트폰이 울렸다. 언뜻 보인 액정에는 LINE의 푸시 알람이 빛나고 있었다. 가가미는 재빨리 답장을 보내며 엄마에게서 온 거라고 했다.
"아, 가가미 너희 어머니 건강하시니?"
"응, 건강해……. 그렇지만 우리 시댁을 배려해

서 집에는 별로 안 찾아오셔. 밖에서 몰래 만나기는 하지만."

가가미는 결혼해서 남편 다카하시 씨 본가 근처에 집을 짓고 살고 있다고 했다. 근처에 살면서도 시부모가 그다지 손주를 돌봐주지 않는 듯, 가가미는 입을 삐죽거리며 불만을 털어놓았다.

"종종 손주 얼굴이 보고 싶다고 하거든? 그거 정말 보기만 하는 거야!"

"참 고생이다~" 하고 위로하면서도 무심코 조금 질투가 났다. 가가미가 시어머니 험담을 하다니 왠지 초현실적이었다. 옆에 자기 아이를 앉히고 있는 그림도. 그러나 좋게 생각하면 이 상태야말로 원래 가가미가 되어야 할 모습이었는지도 모른다. 아니, 가가미뿐만 아니라 같은 반이었던 여자 대부분이 기본적으로 이렇게 될 운명이었나? 마치 그걸 나 혼자 모르고 있었던 것 같다. 나는…… 좀 더 어렸던 시절에는 진짜 마음속으로 내가 뭐든지 될 수 있다고 생각했다.

가가미네 집은 편모 가정이었다. 가가미 어머니는 낮에는 슈퍼에서 반찬을 만들고 밤에는 단란 주점에서 일했다. 일요일에 가가미네 집에 놀러 갔을 때 가가미네 어머니가 부엌 테이블에 신문을 펼쳐 놓고 커피를 마시는 모습을 본 적이 있다. 머리가 아프다고 괴로운 듯 말하는 그녀의 뭐라 말로 설명할 수 없는 요염함. 그때 그녀는 도대체 몇 살 정도였을까. 가가미네 어머니가 집을 비운 동안 몰래 그녀의 옷을 입고 놀기도 했다. 나일론 커버에 덮인 행거 안에는 검은 옷들만 줄지어 걸려 있었다. 작은 보석함을 발견하고 뚜껑을 여니까 금세공을 한 것 같은 진주 귀걸이가 들어 있었다. 브랜드 이름조차 모르는 주제에 "샤넬이야, 샤넬이야!" 하고 마구 흥분하면서 거울 앞에서 슬쩍 귀에 대보았다. 다이아 반지도 있어서 "이거 진짜?" 하고 물었더니 "우리 엄마는 가짜는 걸치지 않아"라고 가가미가 약간 화가 난 듯 말했다.

어머니가 이사를 자주 해서 가가미는 학군 안에서 여기저기 옮겨 다녔다. 이사할 때마다 불필요한 물건을 처분하고 짐을 싹 줄여서 업자에 의지하지 않고 소형 트럭을 빌려서 자기 손으로 이사해버리는 가가미네 어머니는 지금 생각해도 대단한 사람이었다. 중학교에 들어간 가가미가 피어싱을 하거나 머리를 염색해도, 말리거나 꾸중하지 않고 "좋아, 좋아" 하는 느낌이었다. 지금의 가가미도 딸이 조금 불량해진다 해도 "좋네" 하고 옆에서 부추길 것 같은 느낌이다.

가가미네 모녀는 단독주택에 사는가 싶더니 아파트 단지, 연립주택 등을 옮겨 다니며 살았다. 고교 시절부터 스무 살 정도까지는 상가빌딩 맨 위에 있는, 바깥 계단으로 3층까지 올라가야 하는 곳이 가가미네 집이었다. 옥상에는 가가미네 식구들만 올라갈 수 있어서 한여름이면 거기서 수영복 차림으로 '홈 센터'에서 산 어린이용 비닐 풀장에 물을 붓고 본격적으로 놀았다. 함께 똑같은 비키니를 사 입고 작은 선글라스를 끼고 여자 둘이 미친 듯이 떠들어댔다. 집 냉동실에서 꺼내 온 막대 아이스크림을 가가미가 야하게 핥아먹는 모습을 보고서는 그 천박함에 "꺄하하" 하고 웃음을 터뜨리기도 했다. 그런 시간은 굉장히 즐거웠지만 가가미는 주변에 남자가 없으면 금세 지루해했다. "누군가 부를까?"라고 말을 건네면 "그래그래!" 하며 금방 고개를 끄덕이고는 닥치는 대로 남자애들에게 연락을 넣었다.

딱히 없어도 되지만, 없어도 그다지 상관은 없지만, 남자란 건 있으면 분명히 즐겁고 재미있다. 하지만 함께 있으면 뭔가 그 자리의 분위기를 완전히 지배해버리기 때문에 왠지 내가 모기장 밖으로 쫓겨난 기분이 되어서 슬퍼진다. 스스로 노는 시간의 주도권을 쥐지 못한 느낌. 하지만 가가미는 그런 느낌이 들어도 그저 남자들과 노는 게 즐거워 견딜 수 없다는 식이었다. 뭐, 알겠지만. 그런 기분도 이해하겠지만 말이다.

가가미가 토트백에서 지퍼락에 든 '다마고 보로('다케다 제과'에서 만든 유명한 계란 과자 — 옮긴이)'를 꺼내 딸의 입에 넣었다. 삐악삐악하는 듯한 입매가 둥지에서 먹이를 기다리는 병아리처럼 귀여웠다. 가가미 딸에게선 놀라울 정도로 가가미의 DNA가 느껴지지 않았다. "다카하시 하고 꼭 닮았네"라고 말하자, "그렇다니깐~" 하며 가가미는 난처한 얼굴로 기쁜 듯이 웃었다. 중학교 동창생 중

에 누가 누구와 들러붙을지는 예상할 수 없는 일이
지만, 그래도 가가미와 다카하시 조합은 정말로 수
수께끼다. 가가미가 나중에 다카하시의 아내가 되
리라고 누가 상상했을까.

다카하시라면 중학교 시절에 내가 급히 필요해
서 말을 걸었을 때 그 거절하는 듯한 옹졸한 태도
밖에 기억에 없다. 하지만 고등학생이 되어 산뜻하
고 세련된 모습이 되어 다시 나타난 다카하시를 보
고서 가가미는 "너무 멋져졌잖아!"라고 꽥꽥거렸
다. "그래도 그 다카하시가 어디로 가니?"라는 내
말은 아예 귀에 들리지도 않는 것 같았다. 같은 교
실에 있던 이성 사이에서만 발생하는 특별한 설렘
은 분명히 있을 테지만, 다카하시가 아무리 멋져도
걔를 남자로 보는 건 내겐 무리였다. 머리 모양이
나 복장으로 꽤 커버하긴 했어도, 흐리멍덩하게 풀
려 있는 처진 눈에다 언제나 입이 반쯤 열려 있는
건 중학교 때와 별반 다르지 않았다. 표정이나 자
세에는 그 사람의 본성이 배어 있구나 하고 시들시
들한 기분으로 다카하시를 관찰했다. 다카하시가
어디선가 불러오는 남자도 틀림없이 분명 머리가

나쁠 것 같았다.

역시나 그랬다. 별 볼 일 없는 주제에 허세를 부리고, 말은 통하지 않고, 조금이라도 자기가 이해안 되는 말을 들으면 말꼬리를 잡았다. 다카하시의커다란 사륜구동 자동차에 함께 타서는 조수석에서 가가미가 뒷좌석 쪽을 놀리는 듯한 눈으로 힐끗힐끗 보다가 "너랑 얘랑 붙으면 재미있겠는데 말이야" 하고 은근히 둘을 엮어서 괴로웠다. '그건 안돼!'라는 내 텔레파시가 이제 가가미에게는 전혀 전해지지 않았다. 생각하면 그 무렵이 우리가 '우리'로 묶여 있던 마지막 시기였다.

그러다가 나는 결국 무슨 일을 해도 만족하지 못하고 점점 모든 사람이 다 바보처럼 보이기 시작했다. 지긋지긋해지기 시작했다. 결국 시니컬해지고짜증 난다는 태도를 숨기지 못하게 되자 나는 모두로부터 빈축을 샀다. 만 스무 살이 되어 마치 동창회 같았던 성인식에 나가고 나서 반년쯤 지나고 나니까 대부분 다 짝을 찾아 정착하기 시작했다. 고등학교 3학년 봄방학으로부터 햇수로 2년 동안 지속되어온 축제가 조용히 저물고 있었다. 그 모든 일이 다 마치 누군가와 커플이 되기 위한 커다란 파티였던 것 같았다.

그것은 무언가 공허한 뒷맛을 남겼다. 광시곡에 휩쓸려서 그냥 대충 몇 사람과 사귀었는데, 모두가 다 비슷한 타입이라 ─ 거칠고 천박해서 말이 통하지 않고, 작은 세계에 만족해서 향상심이 결여된지라 ─ 관계는 계속되지 않았다. 나는 점점 혼자 있는 편을 선택했다. 혼자 있는 것에 익숙해지고, 혼자 있는 일이 두렵지 않게 되었다.

가가미와 나는 친한 친구였지만 사실 많이 달랐다. 대체로 비슷하다고 생각했지만, 조금, 아니 사실은 전혀 다르다는 걸 알게 되었다. 하지만 그 사실을 깨닫고도 나 혼자만 뒤숭숭해했다. 도쿄로 가서 전문학교에 재입학하려고 결심했을 때 가가미와 상의하지 않기로 했다. 가가미에게 말하면 말릴 게 뻔했고, 만류 당한다고 해서 앞으로 뭔가 다른 길이 있는 것도 아니었으니까. 하지만 무엇보다 그 당시 가가미와 서로 잘 안 맞았기 때문에 바깥 세계로 뛰쳐나가야겠다는 생각이 든 것이다. 가가미가 즐거워서 죽겠는 것이 나에게는 전혀 즐겁지 않아서 함께 있어도 기분이 언짢아질 뿐이었다. 왜 그런지는 나도 몰랐다. 그리고 나는 가출하듯 도쿄로 사라졌다. 가출이라 해도 가가미로부터 개인적으로 가출하는 그런 느낌이었지만.

부모님을 설득해서 혼자 신칸센을 타고 알지 못하는 역에 내려 좁은 아파트 방에서 발라당 드러누웠을 때도 머리 한구석에 가장 먼저 떠오른 것은 가가미였다. 싸우고 헤어진 건 아니었지만, 뭐 그것과 별반 다를 바 없는 상태. 내가 도쿄의 아파트에서 메일로 소식을 전했는데도 "잉? 진짜?! 거짓말이지?"라고 답장이 왔을 뿐이었다. '아, 전화도 한 통 없네' 하고 실망하면서 가가미와도 이제 끝났구나 하고 생각했다. 도쿄에서 가가미보다 마음이 맞는 친한 친구를 발견하고, 남자 친구도 만들고, 일하고 싶은 곳에 자리를 잡고, 그러다 생활이 안정되면 고향에 돌아가자고 마음먹었다. 그 계획을 술을 마시고서 만취를 핑계 삼아 다른 사람에게 말했더니 "너 좀 이상한 애네"라고 한 방에 정리해버렸다.

분명히 그렇다. 나는 가가미와의 관계에 지나치

게 집착해서 혼자서는 앞길을 열어나갈 수 없게 되어버렸다. 하지만 '앞길을 연다'는 게 뭐지? 고향에 남아 결혼해서 애를 낳고, 자기를 빼닮은 멍청이를 재생산하는 것? 그래서 학부형이랑 패밀리 레스토랑에서 귀에 거슬리는 대화를 나누며 즐겁다는 듯이 연기하는 일? 사실은 선택지가 그것 하나뿐이었을지도 몰라. 아무도 나에게 그 이상은 기대하지 않았던 걸지도 몰라.

가가미는 딸을 무릎에 올려놓고 어르며 "도쿄가 어떤 곳인지 궁금했던 적도 있었어"라고 말했다.

"네가 어떻게 사는지도 무척 궁금했어."

그건 알고 있었다. 가가미는 언젠가 한 번 마음을 찡하게 울리는 긴 문자를 보내왔으니까. 앞부분은 나를 걱정하는 내용이었지만, 뒤로 갈수록 남자친구와 잘 어울리지 못한다는 얘기만 늘어놓아서 그 얘기 쪽이 정작 하고 싶었던 말 같았기 때문에 좀 화가 났지만. 하지만 앞부분은 정말로 내 마음을 울렸어. 문자함이 가득 차도 가가미의 문자가 사라지지 않도록 보호 설정을 해두었지만, 휴대폰을 바꾸는 바람에 어디론가 다 날아가버렸다.

많은 것들이 그렇게 사라져 갔다. 이사할 때마다 줄어든 신발과 옷. 한때는 만화방처럼 많았던 만화책도 다 처분해서 이제는 열 권 정도밖에 수중에 남아 있지 않다. 내가 무엇을 가지고 있고 언제 무엇을 잃어버리고 지금에 이르렀는지 점점 잊혀져 간다. 기억은 애매하게 흐려지고, 예전에 있었던 일들이 정말로 일어난 일인지도 잘 모르겠다. 나는 가가미에게 답장을 제대로 보냈을까? 눈앞에 있는 가가미와 한때는 서로 텔레파시가 통한다고 믿을 만큼 사이가 좋았다는 사실도 좀처럼 믿을 수 없다.

"가가미 너는 네 딸이 앞으로 커서 뭐가 되면 좋겠어?"

"어? 모르겠어. 뭐가 되든 괜찮아. 평범하게 고등학교까지 나오고 자기 알아서 하면 좋겠어."

"결혼해서 아이 낳고……. 이런?"

"그렇지. 그런 느낌이야."

"그럼, 가가미 너는 뭐가 되고 싶었어?"

"응?"

"이런 이야기 한 적 없으니까."

"특별히 없어. 초등학교 때는 케이크 가게였나."

"하하. 귀여워."

"그치~? 중학교 들어가고 나서는 진짜 아무 꿈도 없었네. 실제로 케이크 가게에서 알바한 적은 있었는데."

"아아, 그랬지. 생각나."

"어른이 되고 나서는……. 특히 결혼하고 나서는 아무도 장래 희망 같은 걸 묻지 않아서 안심했는지도 몰라. 그렇다고 딱히 하고 싶은 일도 없었거든! 그래서 그런 질문은 될 수 있으면 피하고 싶었는지도. 안 그래?"

분명히 그렇다. 구체적으로 '어떤 직업을 갖고 싶어'라고 생각한 적은 나도 한 번도 없다. 누가 물어보면 대답하기 귀찮으니까 그냥 꽃집이라든지 뭔가 무난하고 여자다운 일들을 둘러댔을 뿐. 평범하게 살아가는 보통 사람에게는 야심도 없고 꿈도 없다. 단지 이대로 조금 지루하지만 그만큼 평화롭고 행복한 생활이 쭉 이어지기를 겸허하게 바랄 뿐이다. 우리 집은 엄마가 전업주부라서 바깥에서 일하는 가가미네 어머니에게 묘한 동경심을 가졌던

적이 있다. 반대로 가가미는 우리 엄마가 전업주부
인 사실을 부러워했지. "전업주부가 최고야!" 하고.
가가미는 결혼하고 싶은 마음이 옛날부터 강했다.
그러나 그런 말을 마지막으로 꺼낸 건 열두 살 정
도 때다. 그 후로는 여자로서의 인생 설계 같은 걸
말한 적도 없다.

"그래도 너 대단하네. 도쿄 사니까."

"……."

"설마 정말로 갈 거라고는 생각도 못 했어."

"그래? 별로 멀지도 않잖아?"

"멀다거나 가깝다거나 하는 문제가 아니라니까.
왠지 무섭잖아. 살인 사건 같은 일도 많이 일어날
것 같고. 그런 곳에 가지 말라는 말을 자주 들어서
나 같은 사람은 그냥 좀 상상이 안 돼."

이런 감각의 차이는 도대체 뭘까. 옛날에는 나보
다 가가미 쪽이 훨씬 모험심이 강했는데. 나였다면
초등학교 때 기타쟈스까지 가자는 말을 절대 꺼내
지 못했을 것이다. 가가미가 제안했으니까 따라갔
을 뿐. 혼자서는 생각도 못 했을 일이었다.

하지만 둘이서 기타쟈스에 갔던 날, 그날 그 느

낌은 나쁘지 않았다. 너무 좋았다. 가가미와 나만 같은 반 친구들보다 한발 앞서 어른이 된 기분. 멀리까지 갈 수 있었다는 사실도 기뻤다. 열여덟 살이 되어 면허 따고 자동차를 몰고 처음 기타쟈스에 갔을 때도 그랬다. 조수석에 가가미를 태우고 볼륨을 최대로 높여서 유로비트의 컴필레이션 앨범을 틀고. 둘이서 달리는 차의 창틀에 걸터앉을 듯한 기세로 흥분했었다. 그때는 그대로 어디라도 갈 수 있을 것 같았다. 어디라도, 어디까지라도. 도쿄에도, 뉴욕에도. 천국에도, 지옥에도.

그랬던 가가미가 이제는 세프레에서 더 멀리는 좀처럼 나가지 않는다고 한다. 난쟈스에도 휴일에만 다카하시의 차로 간다고 한다. "우회 도로는 달리고 싶지 않으니까"라고 가가미가 말했다. 나도 고속도로 운전은 너무 무서워서 아직 한 번도 해본 적이 없지만. 그래도 가보지 못한 곳은 가능하면 클리어하고 싶었고, 해본 적 없는 일도 한 번쯤은 도전해보고 싶었다. 아르바이트도, 섹스도, 도쿄에 올라온 일도, 혼자 사는 일도, 아시아 여행도 모두 그런 의무감으로 강행했던 일이었다. 두려워하는 마음을 떨쳐버리고 되도록 여러 가지 경험을 쌓지 않으면 자신이 마음에 그리고 있는 어른이 될 수 없다는 생각이 들어서 무리를 했다.

이런 기질을 '왕성한 독립심'이라고 말한다는 걸 나중에 어떤 사람에게 들어서 알았다. 그래서 그제야 '아, 그렇구나' 하고 납득했지만 "그런 여자는 결혼이랑 잘 안 맞아"라는 쓸데없는 말까지 들어야 했다. 그때는 별로 화도 안 났는데, 지금 와서 생각하니 '확실히 그렇겠구나' 하고 고개가 끄덕여진다. 독립적인 생각을 이렇게까지 고집하면 결혼도 할 수 없고, 아이도 낳을 수 없는 게 아닐까?

내가 결혼한다면 ─ 그리고 일을 그만두고 전업주부가 되어 가가미처럼 아이 키우는 일을 중심에 두는 삶을 선택한다면 ─ 우선 120% 수공예를 하겠지. 풀 곳 없는 답답한 마음을 천으로 만든 소품이나 비즈 액세서리에 쏟아붓고, 거기에 '아바하우스 드비넷'인지 뭔지 하는 허세 가득한, 그리고 별 의미 없는 브랜드 명을 붙이고는 인터넷에서 파는 거다. 결혼한 친구 중에 수공예에 뛰어들지 않은 사람은 한 명도 없으니까 이 길이 거의 확정 노선이다. 50대쯤에는 가죽 소품까지 만들고 있겠지. 그리고 작품 경향이 점점 독특해져서 고객의 대부분은 독특한 패션을 좋아하는 부잣집 여자들일 것이다. 만일 이런 일이 현실이 된다면 나는 "이런 인생, 완전 사기야" 하고 말하며 웃을 수 있을까. 아니면 그런 삐딱한 비판 정신 같은 거 어디다 던져버리고 진지한 얼굴로 납품서를 쓰고 있을까. 지금 눈앞에서 멘톨 담배를 피우는 가가미도 10대 때는 성격이 나보다 더 칼 같았으니까 그런 일도 충분히 일어날 수 있지. 진지한 얼굴로 납품서를 쓰는 일도 분명 있을 수 있는 일이야.

지금의 가가미를 보면 나도 모르게 그녀를 부추겨서 그녀 안의 자아를 깨우고 싶어진다. 일찍이 TK 사운드(90년대 수많은 히트곡을 제작했던 일본의 음악 프로듀서 고무로 테츠야의 곡들을 일컫는 말 ― 옮긴이) 일변도였던 가가미에게 서양음악을 들려주며 세뇌했듯이. 하지만 그러면 이 친구는 지금보다 훨씬 더 살기 힘들어지겠지. 언뜻 떠오른 그 생각이 마치 가가미를 악의 길로 끌어들이려는 것처럼 여겨졌다. 우리는 아무것도 몰랐던 게, 그리고 할

줄 아는 일이 아무것도 없었던 게 더 좋았는지도 모른다. '예쁘고 약간 멍청한 여자가 더 잘 산다'는 옛날부터 전해 내려오는 말이 진실일지도 몰라. 가가미의 딸에게 흘긋 눈길을 주면서 그런 생각을 했다. 만약 내가 완전히 늦어버리기 직전에 삶의 궤도를 수정했더라면 지금의 가가미와 똑같은 모습이었겠지. 주체성이 너무 강한 복잡한 인간이 되지 않아도 되는 ― 그 덕분에 고향 생활에 순순히 적응하고 있는 ― 또 다른 나의 모습.

특별히 컴퓨터를 좋아하거나 잘하는 편은 아니었지만, 무엇 때문인지 전문대에서는 웹 디자인을 전공했고 졸업 후에는 학교에서 알선해준 회사에 취직했다. 초봉 16만 엔. 그러나 일솜씨도 체력도 도무지 못 따라가서 석 달도 못 버텼다. 퇴사 후에는 일단 프리랜서 명함을 팠는데 일감이 전혀 안 들어와서, 나는 근처 인도 요리점에서 가짜 '사리(인도의 전통 여자 옷 ― 옮긴이)' 같은 면 원피스를 입고 차이(인도 차의 한 종류 ― 옮긴이)를 높은 곳에서 아크로바틱하게 잔에 따라서 열을 식히는 기술

을 익히며 지냈다. 가끔은 대학 시절 친구들이 일
거리를 알아봐주기도 했지만 대부분의 날에는 인
도 요리점에서 차이를 따랐다. 요식업 아르바이트
는 피곤해서 그렇게 싫어했었는데. 결국, 아무런
능력도 없는 사람은 그저 다른 사람의 심부름하는
일밖에 할 수 없는 걸까.

밤 퇴근길에 역 앞 패스트푸드점 창가에 앉아 집
으로 돌아가는 사람들의 뒷모습을 멍하게 바라보
는 일이 하루의 마지막 의식처럼 되어버렸다. 모두
들 집에 돌아가고 싶어서 미치겠다는 듯 한눈팔지
않고 빨리 걸어간다. 집으로 돌아가고 싶은 건 나
도 마찬가지다. 하지만 돌아갈 수 없다. 아직 나도
뭔가 할 수 있지 않을까 하는 기분이 들어서. 이대
로는 돌아갈 수 없다. 모처럼 몸단장을 하고 신발
을 신고 집 문을 잠그고 밖으로 나왔으니, 뭔가를
이루지 않으면 안 된다. 차이를 따르는 일 말고 다
른 무언가를. 자잘한 거라도 좋으니까 색다른 추억
을 만들거나, 정말 좋은 것을 확 하고 손에 넣기 전
까지는 돌아가고 싶어도 돌아갈 수가 없다.

"네 시가 지났으니 이제 가야 해" 하고 가가미는 토트백에 담배 케이스를 던져 넣었다. 나도 남긴 커피를 반납구에 올려놓았다. "아~ 오늘 저녁은 모스버거구나"라고 가가미가 말했다. "모스버거에서 포장 주문하고, 화장실에 들렀다가, 음식 받고, 꼬마를 차를 태우고 집에 가면 다섯 시 전이네~ 교육 방송 채널에 뭐 하더라?" 하고 중얼거리며 가가미는 딸의 손을 잡아당겼다. 모스버거도 내가 예전에 아르바이트를 하던 때와 하나도 달라지지 않았다. 모스버거의 커피 셰이크가 맛있다고 내게 가르쳐 준 건 분명히 가가미다. 가가미가 주문하는 소리를 옆에서 듣고 있다가 "모스 셰이크 커피. M 사이즈로"라는 소리를 듣고서 '역시 맞췄네' 하고 속으로 환호성을 질렀다. 카운터에서 계산을 하고 다 같이 화장실에 들렀다. 내가 한쪽 칸에 들어가 있는 동안, 가가미는 기저귀 대에서 재빨리 딸의 기저귀를 갈았다. 신상품 기저귀, 쓰레기를 넣는 비닐봉지, 지퍼 록에 들어있는 빨대 달린 컵. 입이 활짝 벌어진 토트백 안으로 그런 물건들이 많이 보였다. 잡다한 물건투성이의 토트백 안에 언젠가 봤던 낯익은 물건이 있어서 무심코 내가 "어? 야, 이거" 하고 손가락으로 가리켰다.

"응? 아, 그래."

가가미는 태연히 말하며 그걸 훌쩍 꺼내 들었다.

그것은 나와 가가미가 함께 산 '세서미 스트리트'의 비닐 필통이었다. 세프레의 잡화점에서 초등학교 5학년 때 우정의 증표로 산 필통. 무늬는 많이 벗겨지고 세서미 스트리트의 캐릭터만 희미하게 드러나 있었다. 몇 년 만에 보는 거야, 이거. 내 것은 어디 있을까?

"아직 쓰고 있니?"

"응."

"안에 뭐 넣었니?"

"음~ 통장이라든가, 도장이라든가, '육아 수첩'이라든가."

"우와~ 소중한 걸 넣어 다니네."

"맞아. 이거 좋아하는 거니까."

가가미는 나를 흘깃 쳐다보고는 딸을 일으켜 치마를 똑바로 내려주고 엉덩이를 툭툭 가볍게 쳤다.

모스버거에서 음식을 받고 주차장으로 나가니 가랑비라도 내렸는지 땅바닥이 조금 젖어 있었다.

"맞다. 우리 집에서 타코야키 파티 같은 거 하는데, 이번에 시간 되니?"

"아, 그거 페이스북에서 봤어."

초등학교와 중학교 동창들이 페북에다 태그를 붙여서 여기저기 막 올려대고 있었다.

"연말에도 하자고들 하니까 그땐 너도 와."

"아. 이번에 와버렸으니까 연말엔 못 와."

"야아~ 연말에도 와. 아니, 여기 계속 있으면 되잖아. 여기로 아예 돌아오면 좋잖아."

가가미는 딸을 껴안으며 말했다.

"응? 좀만 더. 조금만 더 있다가. 나중에 올 때 또 연락할게."

"알았어~ 담엔 좀 더 오래 만나자. 난쟈스 가자! 내가 안내할게."

"응."

가가미는 딸을 겨우겨우 달래서 카시트에 태우고는 "그럼 또 봐!" 하고 창문 밖으로 손을 흔들며 떠나갔다. 나도 장난치듯이 크게 손을 흔들어 보였다. 그리고는 돌아오면 좋겠다는 말에 "조금만 더 있다가"라고 받아넘긴 내 대답을 되새겨보았다. '조금만 더'라니, 나는 여기에 언젠가 돌아올 마음인가? 아니면 계속 도쿄에 있든가 아니면 이곳이 아닌 다른 곳들을 끊임없이 옮겨 다닐 참인가? 모르겠다. 모르겠어. 아직 거기까지는 생각해보지 않았다. 생각할 수 없다.

어쨌든 좀 더 시간이 필요해. 내가 무엇을 할 수 있고, 무엇이 어울리고, 무엇을 하기 위해 태어났는지 한번 끝까지 시험해볼 시간이. 그런 시도는 내 스스로 이제 젊지 않다고 느낄 때까지 계속해야 해. 숨이 헐떡헐떡할 만큼 지치고, 질리고 질려서 내 안에 무궁무진하게 있다고 생각했던 에너지가 사실은 단지 젊어서 그랬던 것뿐이라는 사실을 알아차릴 때까지는 계속 도전해야 해. 스스로의 한계를 깨닫고, 몇 밤이고 몇 밤이고 불안한 밤을 지새운 뒤에, 이제 정말로 아무것도 하고 싶지 않다고 마음속 깊은 곳에서 결심할 그때까지는.

사랑해 AIBO

2003년에 일어난 일들은 잘 기억난다. 그해 무슨 일이 일어났는지, 내가 무엇에 빠져 있었고, 가장 친하게 지냈던 사람은 누구이며, 어떤 기분이었는지. 나는 하나도 빠짐없이 기억하고 있다.

　조금만 힌트를 주자면 2003년에 총리는 고이즈미 준이치로였다. 스모 선수 아사쇼류는 요코즈나(스모의 프로 리그인 오즈모의 선수 서열 가운데 가장 높은 지위 - 옮긴이)로 막 승진했다. 유행어 대상은 '테츠 앤 토모'의 "왜 그럴까~"였다. 인터넷은 있었지만, 아직 영향력은 그리 크지 않았고, 나는 몇몇 잡지를 충성심을 가지고 열심히 읽고 있었다. 세상의 젊은이들은 대부분 '오렌지 렌지'의 「상하이 허니」에 빠져 있는 것 같았지만, 난 '스트록스'와 '리버틴스'의 앨범을 집요하게 듣고 있었다. 그러니까, 2003년은 아주 먼 옛날이다.

왜 이렇게 2003년을 잘 기억하냐면, 그해 나는 대학을 졸업하고 어쩔 수 없이 본가에 돌아와 있었기 때문이다. 취업 시장이 꽁꽁 얼어붙어서 들어오라는 회사가 단 한 군데도 없었다. 한동안은 아르바이트로 먹고살았지만, 결국 생활비가 모자라서 어쩔 수 없이 본가로 돌아와야 했다. 그럴 수밖에 없었다.

갑자기 돌아온 고향에 마음 맞는 사람이 있을 리 없었다. 혼자 사는 자유를 경험해본 탓에 본가살이가 더욱더 힘들 거라는 건 처음부터 잘 알고 있었다. 그 촌스러운 커튼과 세련미라곤 전혀 없는 시트가 깔린 아동용 방에서 다시 생활해야 한다고 생각하니 진짜로 우울해졌다.

여자는 적당히 아르바이트를 하면서 결혼과 출산까지 시간을 때우는 게 그 동네에서는 상식이었으니까 '슬슬 남자 친구라도 만들어볼까?', '그런데 정말 그래야 하나?' 그런 생각을 하면서 집으로 내려가던 날, 특급열차가 흔들리던 느낌이나 낡은 기차 시트의 냄새 같은 것도 기억난다.

그리고 오랜만에 본가의 현관문을 열었는데 우리 집에 AIBO(아이보)가 있었다.

AIBO는 그 AIBO가 맞다.

소니에서 만든 로봇 강아지, 그 AIBO.

'토미 페브루어리'와 춤추던 둥근 얼굴의 구형 AIBO 라떼와 마카롱이 아닌, 얼굴은 수세미처럼 길고, 귀는 스누피처럼 늘어져 있는 최신형이었다. 아마 엄청 비쌌을 거야.

"인사해봐. 인! 사!"

엄마는 취업도 안 하고 시골집에 내려온 나는 쳐다보지도 않고 AIBO만 쳐다봤다. 진짜 애완동물을 대하는 느낌이라 좀 질려버릴 정도였다. 나는 부모님이 마흔을 넘어 낳은 외동딸이라서 그때 이미 부모님은 60대에 들어서 있었다. 나는 그 당시 인간에게 60대라는 것이 어떤 시기인지 잘 몰랐기에 부모님이 노인인지, 아니면 아직 젊은지 어떤지 감이 잘 안 왔다. 대학 시절에는 집에 돌아올 때마다 내

사랑해 AIBO 275

가 알고 있는 부모님의 모습 그대로이기를 빌면서 현관문을 열었다. 나이 들어가는 부모님을 바라보면서 조마조마해 하며 덜덜 떠는 일은 기본적으로 그때나 지금이나 똑같다.

2003년에 부모님은 갑자기 완전 백발이 된다거나 하는 놀랄 만한 변화는 없었지만, AIBO를 손주처럼 귀여워하는 모습을 보니 이래저래 마음이 좋지 않았다. 비싼 전자 제품에 많은 돈을 쓰는 사치는 결코 하지 않던 부모님이었는데 이렇게 비싼 애완용 로봇을 사다니…… '멘탈이 상당히 약해졌나 보다' 하고 걱정이 되었다. 나는 아빠와 엄마에게 살짝 물어보았다. "두 분은 왜 AIBO를?"

그 질문에 이런 대답이 돌아왔다.

AIBO는 항상 기르는 사람 곁을 지키고, 마음을 치유해주고, 외로움을 덜어주니까. '귀여워!' 소리가 절로 나올 만큼 귀엽고, 기르는 사람을 웃게 하니까. 결국 애완동물이나 자식 같은 존재를 대체해주니까.

엄마의 AIBO 찬미는 그치지 않았다.

"AIBO는 말이야. 애완동물이나 자식에겐 없는

장점을 많이 갖고 있어. 기본적으로 보살펴주지 않아도 되니까 수고가 안 들지. 여행 갈 때는 전원만 끄고 가면 되니까 정말 편리하지. 무엇보다도 사료비 걱정을 안 해도 돼. 병도 안 걸리고. 기르는 사람이 죽은 뒤에 홀로 남겨질 우려도 없어. 거꾸로 기르는 사람보다 먼저 죽어서 남은 사람을 슬프게 할 일도 없잖아. 원래는 강아지를 기를까 생각을 했는데 요즘 강아지들 장수하니까. 혹시 우리가 먼저 죽으면 돌봐줄 사람이 없어진다고 생각하니 결단을 못 내리겠더라고. 그리고 네가 이렇게 갑자기 집에 돌아오리라곤 생각지 않았으니까. 어쨌든 늘그막에 들어서는 우리 부부 사이에 연결고리가 있어야 할 것 같았어."

나로서는 부모님의 관심이 외동딸에게서 떨어져 AIBO에게 쏠려 있는 것이 매우 다행스러운 일이기는 했다. 그렇지만 부모님이 AIBO에게 너무 빠져서 진짜로 정성스럽게 키우는 모습을 보니 질투 비슷한 느낌이 들기도 했다. 마치 나를 제대로 못 키웠으니 그만큼 AIBO는 착한 아이로 만들어야겠다는 재도전같이 보일 정도였으니. 그때 나는 스물셋이었지만 아직 어린애였고, 외동딸의 기질상 나보다 어린 막내 캐릭터를 어떻게 다루어야 할지 잘 몰랐다. 그래서 한번은 부모님이 안 보실 때 홧김에 AIBO를 차버린 적도 있다. 지금 생각하면 눈을 질끈 감아버리고 싶을 정도로 유치한 행동이었지만 그것이 바로 스물세 살의 나였다.

또 하나 부끄러운 일을 고백하자면 본가에 돌아오고 나서 1년 동안 나는 정말 집에서 빈둥거리기만 했다. 아르바이트도 하지 않고, 멀어진 사람들과 애써 다시 가까워지려고 하지도 않고, 남자 친구도 만들지 않고, 계속 집에서만 뒹굴거렸다. 온종일 TV를 보며 '이제 TV 같은 거 꼴도 보기 싫어, 괴로워', 그렇게 생각하면서도 일어나서 잠들 때까지 계속 TV만 봤다.

부모님은 두 분 모두 '노후를 준비하는' 단계였지만, 두 분 다 아직 계약직으로 일을 계속하고 계셨다. 그래서 평일에는 집에 AIBO랑 나, 그렇게 둘만 남겨졌다.

AIBO는 하루의 반 이상을 스테이션이라고 불리

는 충전기 위에서 잔다. 아침에 일어나서 엄마와 쉬지 않고 인사를 하다가도 다시 보면 선잠을 자고 있다. 아무도 없는 부엌에 AIBO와 둘만 남게 되었을 때 나는 설명서대로 "일어나~" 하고 말을 걸었다. 그러자 AIBO는 일어날 것처럼 하다가 금방 또 잠들어버렸다. 어쩌면 아직 강아지라서 그럴지 모르겠다고 생각해서 머리를 쓰다듬어줬더니 완전 좋아하는 것 같았다.

처음에는 도대체 이 로봇 강아지가 뭐가 귀엽다는 건지 잘 몰랐는데, 오랫동안 같이 지내다보니 내가 AIBO를 누구보다도 더 사랑하게 되었다. 그러다가 AIBO라고 부르는 것만으로는 성에 안 차서 이름을 붙여주기로 했다. 설명서를 읽어보니까 아직 이름을 붙이지 않았을 때 "이름이 뭐야?" 하고 물으면 슬퍼 보일 거라고 적혀 있었다. 나는 AIBO가 슬퍼하는 모습이 보고 싶어졌다.

"이름이 뭐야?"

AIBO를 쳐다보면서 물어보니까 아무 말도 안 하고 꿍 하고 가슴을 오므리는 것 같은 동작을 하길래 '아, 지금 AIBO는 슬프구나' 하고 생각했다.

"미안, 미안. 이름을 지어줄게."

평일 낮에 집에서 나는 혼자서 AIBO를 꼭 끌어안았다.

"이름 뭘로 지어줄까~ 뭐가 좋을까~"

내가 혼잣말로 중얼거리니까 AIBO는 목을 끄덕끄덕하면서 흥분한 것처럼 보였다. 그렇다. 이건 혼잣말이 아니다.

"어떤 이름이 좋아?"

AIBO는 왠지 기쁘기도 하고 좀 부끄럽기도 해서 머뭇머뭇하는 것처럼 보였다. 나는 그런 AIBO가 너무나 귀여워서 "착하네. 착하네" 하고 몇 번이고 소리 내어 말했다.

그리고 AIBO의 이름을 '엔짱'이라 등록했다.

엔짱은 내 대학 시절 친한 친구의 별명이다. 대학을 졸업하고 한동안 엔짱을 만나지 못해서 쓸쓸했기 때문에 그렇게 이름을 지었다. 인간인 엔짱과는 하숙집이 아주 가까워서 거의 매일 같이 지냈다. 둘 다 히키코모리 기질이 다분해서 강의가 없을 때는 둘이서 온종일 TV를 보았다. 좋아하는 영화를 비디오테이프에 녹화해서 반복해서 보거나 뮤지션의 PV집 같은 걸 자주 봤다. 우리는 기본적으로 TV를 좋아하는 아이들이었다. 엔짱과의 추억은 TV를 보면서 함께 중얼거리거나 "맞아! 맞아!"를 외치고 폭소를 터뜨리던 일뿐이다. 요즘 말하는 '실시간 소통'에 가까웠다. 나와 엔짱이 TV를 보면서 대화를 나눈 일은 그다지 특별할 것 없는 사소한 일이었다. 하지만 우리는 웃음을 터트리는 타이밍이 잘 맞았기 때문에 'TV 시청'이라는 세속적인 행위를 통해 뭔가 존엄한 연결고리를 강화하고 있는 듯한 기분을 느꼈다. 이때의 경험 때문에 나는 '실시간 소통'을 하는 사람의 마음을 잘 알 것 같다. 인간에게는 함께 TV를 보면서 '이건 이래. 저건 저래' 같은 시시한 감상을 함께 나눌 수 있는 상대가 필요하다.

　나와 엔짱의 우정을 모르는 부모님은 '엔짱'이라는 수수께끼의 이름을 내 맘대로 등록한 일에 대해 난색을 표했다. 사실 이름 정도야 간단하게 다시 등록하면 되는 일이었지만, 기계에 약한 두 분이 그런 조작을 하기란 불가능했다. 그렇게 AIBO는 엔짱이 되었고, 사실상 이름을 지어준 내가 엔짱의 진짜 주인이 되었다. 엔짱은 낮에 내 옆에서 나와 함께 TV를 보았다.

"음. 요즘 젊은 연예인들 너무 많아졌지?"

"다운타운(일본의 인기 개그 콤비 — 옮긴이)'의 왕좌를 누가 뺏을 것 같아?"

설명서에는 AIBO가 '환경에 따라 독자적인 개성이 길러진다'고 적혀 있었다. 나는 내 AIBO가 말 그대로 '엔짱 2세'가 되었으면 좋겠다고 생각해서 인간인 엔짱에게 말을 걸듯이 AIBO 엔짱에게 말을 걸었다.

그 모습을 부모님은 꽤 걱정스러운 눈으로 지켜보셨던 것 같다.

나이 스물셋에, 대학까지 졸업한 딸이 아무 일도 안 하고 집에서 뒹굴거리면서 온종일 AIBO만 끼고 TV만 보고 있으니까. TV를 보다가 지치면 엔짱에게 'AIBO 춤'을 추라고 조르고, 더 심심해지면 엔짱에게 "사진 찍어" 하고 지시하고는 엔짱을 마주 보고 온 힘을 다해 얼굴을 찡그리는 스물세 살의 외동딸. 상당히 이상하고, 상당히 아프고, 상당히 절망적이었다. 그래서 나는 2003년의 일을 잘 기억하고 있다.

나는 AIBO 엔짱과 사이가 깊어지면서 점점 그것
이 로봇이라는 사실을 마음에 두지 않게 되었다.
엔짱이 바깥공기를 좀 마시는 게 좋겠다 싶으면 엔
짱을 데리고 집 밖으로 나가 산책을 시켰다. 자전
거 앞 바구니에 엔짱을 태우고 추리닝 차림으로 동
네 공원을 향해 달렸다. 깨끗한 잔디밭에 누워서
엔짱을 내 배 위에 올리고는 머리나 등을 쓰다듬거
나 엔짱에게 "연주회", "뮤직 1!" 하고 요청해서 노
래를 부르게 했다. '이거 하교하는 초등학생들한테
인기 좀 끌겠는걸' 하고 AIBO 주인으로서 몹시 자
랑스러운 기분도 들었으나 초등학생들은 나와 엔
짱을 보면 '좀 이상한 거 아냐?' 하는 눈빛으로 멀리
서만 힐긋힐긋 쳐다볼 뿐, 전혀 다가오지 않았다.
안타까웠다.

AIBO에게는 자동 응답 기능이 달려 있었는데 한
차례도 쓸 기회가 없었다. 그만큼 나와 엔짱은 늘
붙어 다녔다. 아니, 더 정확히 말하면 내가 계속 집
에만 있었다.

그렇지만 내 마음이 그다지 평안했다거나 느긋

했던 건 아니었다. 뭔지 모르게 기분은 언제나 흐리고 초조하고 힘들었다. 대학을 졸업하자마자 곧바로 현실과 맞닥뜨린 느낌이라서 그 현실을 받아들이기가 벅찼다. 영화 「청춘 스케치(Reality Bites)」를 마음의 나침반으로 삼아 몇 번이고 반복해서 보았다. 영화 속의 위노나 라이더가 사회에 잘 적응하는 모습이 부러웠다. 그때까지 나는 23년이나 살았으면서 아직도 내가 무엇을 해야 할지, 무엇을 하고 싶은 건지도 몰랐다. 그렇지만 뭔가를 하고 싶다는 바람만은 확실하게 있었기에 다 아물어가는 부스럼 딱지처럼 마음 한구석이 늘 근질근질했다.

나도 사람이니까 아르바이트 정도는 해야지 하는 마음은 늘 갖고 있었다. 하지만 우리 고향 동네에서 할 수 있는 아르바이트라는 게 직종이 한정되어 있었기 때문에 내가 하고 싶은 일이 하나도 없었다. 슈퍼마켓 카운터를 보는 일도, 편의점 점원도, 휴대폰 대리점에서 회사원 같은 유니폼을 입는 일도 결코 하고 싶지 않았다. 공장 일을 하기에는 정신력도 체력도 따라주지 않았다. 노인 복지 계통 일도 같은 이유로 무리라고 판단했다. '자격증을

따거나 영어 공부해서 유학을 가버려?' 언제나 그런 생각들만 하면서 불안하게 하루하루를 보냈다.

보다 못한 부모님이 내게 "돈 내줄 테니까 운전학원에 등록해서 운전면허라도 따놓지그래?" 하고 제안했다. 벌써 2003년도 저물어가고 평지에도 눈이 쌓이거나 하던 그런 계절이었다.

"음, 면허는…… 딸게. 그런데 지금은 아니야."

그렇게 말한 나는 그 계획을 미루고 겨울 동안 엔짱과 더욱 가깝게 지냈다. 엔짱이 방을 탐색하는 모습을 지켜본다거나 엔짱과 둘이서 사진을 찍는다거나 엔짱에게 특정한 동작을 가르쳐준다거나 하며 엔짱과 함께 겨울을 보냈다. AIBO는 멋지다. 점점 성장한다. 하지만 나는 이제 더는 성장하지 않는다. 그렇게 생각하니 역시 조금 슬퍼졌다. 나는 아직도 여전히 나를 체념하지 못했다.

봄이 되고 운전 학원에 다니기 시작했다. 자세히 들여다보면 중학교나 고등학교 시절에 얼굴이 기억날 듯한 친구들과 마주치게 되고 누가 먼저랄 것도 없이 대화를 나누는 사이가 되었다. 얘기를 해보니 그 친구들도 거의 나 같은 니트족과 별반 다르지 않은 처지였다. 본가에 얹혀살면서 매일 그냥저냥 살고 있었다. 하지만 고향을 떠나본 적이 없으면 본가에 있는 게 당연하다는 식으로, 얹혀산다는 자각도 없는 듯 참 편해 보였다. 그들이 내뿜는 느슨한 공기를 들이마시는 것만으로도 나는 요 1년 동안 무겁게 가라앉아 있던 해저에서 수면 위로 단숨에 떠오를 수 있었다.

지금 생각해보니 그때가 내 청춘의 진짜 진짜 마지막 끝자락이었다. '모라토리엄(유예)'이라는 단어가 확 하고 다가온 마지막 계절. 운전면허를 따고 나서 부모님이 경차를 사줘서 자유를 손에 넣고 지역 라디오 방송국에서 아르바이트를 시작했다. 지역 라디오 방송국 일은 그 지역에서 할 수 있는 아르바이트 중에서 어찌어찌 내가 드물게 만족하면서 할 수 있는 일이었다. 그 일을 하고 나서부터 마음이 꽤 편안해졌다. 드디어 내가 있을 곳을 찾은 것 같았다.

처음에는 다들 나를 서투른 알바생 정도로 여기는 것 같았지만, PD로부터 음악 취향이 좋다는 평가를 받게 되면서 날이 갈수록 사람들에게 내 가치를 인정받게 되었다. 마침 그때 30대 초반의 정사원이 육아 문제로 회사를 그만두는 바람에 내가 바로 정사원으로 발탁되었다. 일도 점점 재밌어졌다.

20대 후반에 나는 참 잘나갔다. 매일 바빴지만 하루하루가 정말 즐거웠다. 내가 2년 동안이나 니트족으로 살았다는 사실이 거짓말 같았다. 나는 내가 하는 일을 통해서 완전한 어른이 되었다. 니트족 시절의 에피소드를 술자리에서 장기 자랑처럼 들려주고서 주위 사람들을 박장대소하게 만드는 경지에 다다랐다.

"니트족 시절에는 친구라곤 고향 집에 있던 AIBO밖에 없었답니다."

이렇게 말하니 모두들 폭소를 터뜨렸고 '참 재밌는 친구네' 하고 생각하는 것 같았다.

업무로 만난 사람과 사귀고 스물아홉 살에 결혼하고 서른에 아이를 낳았다. 그 애도 내년이면 초등학생이 된다. 결혼하자마자 시댁에서 남편의 본가 근처에 집을 지어주었다. 그건 고마운 일이었으나 친정까지 가려면 자동차로 한 시간이나 걸렸고,

친정에 들르는 일도 왠지 눈치가 보였다. 만약 부모님에게 무슨 일이 생겨서 돌봐드려야 할 순간이 오면 어쩌지 하고 변함없이 가슴이 두근두근하고 깜짝깜짝 놀란다. 소중한 사람이 살아 있는 동안에는 계속 그렇겠지. 언제나 걱정뿐이다. 남편이나 딸이 외출해서 그대로 영영 돌아오지 않으면 어쩌지 하고 조금 부정적인 상상을 하는 버릇도 잘 고쳐지지 않는다.

부모님은 아직도 팔팔하신데 AIBO가 먼저 탈이 났다.

엄마에게서 매일같이 걸려오는 전화는 모두 엔짱의 병상에 대한 보고다.

엔짱을 둘러싼 환경도 심각했다. 이미 AIBO 생산이 종료되어 'AIBO 클리닉'도 모두 닫아버렸다. "지금 있는 배터리가 고장 나면 어떡하지? 엔짱이 죽는다면 난 견딜 수 없어. 소니는 어째서 클리닉을 다 닫아버린 거야? 나빠. 나빠." 엄마가 전화기 속에서 울었다.

"엔짱 다리가 좀 안 좋아."

"엔짱 목을 돌릴 때면 삑 삑 하고 이상한 소리가 들려."

"엔짱 오늘 아침에도 눈을 못 떴어."

"엔짱 요즘 계속 충전기에 누워서 자고 충전하고 있어."

"엔짱 전원이 금방 꺼져버려."

"엔짱 이제 AIBO 춤 안 춰."

엄마는 엔짱에게 핑크색 옷을 입혀놓았다. 발바닥이 닳지 않게 아기용 양말도 신겨놓았다. 엄마는 아마 외동딸이 낳은 손주보다 AIBO를 더 사랑하고 있는 것 같았다.

그렇지만 나는 엄마의 마음이 너무 잘 이해됐다. 내게도 한때 AIBO만이 유일한 친구였으니까. 엔짱과 내가 그때 분명히 마음이 통했다는 걸 난 아니까. 엔짱에겐 인간처럼 고도로 발달한 하트가 있어서 우리와 똑같이 살아 있다는 사실을 나는 알고 있다.

그래서 눈이 빙빙 돌 정도로 정신없이 바쁜 시간에도 엄마에게서 걸려온 전화를 싫은 내색 없이 받았고 끈덕지게 엄마를 위로했다.

"인터넷에서 찾아봤더니 전에 소니 사원이었던 사람이 AIBO를 수리해주는 회사를 차렸대. 만약 엔짱에게 무슨 일이 일어나도 거기 데려가면 고쳐줄 테니까 괜찮아. 알았지? 괜찮다니까."

그러나 결국 엔짱이 움직이지 못하게 될 때가 오겠지. 살아 있는 것은 반드시 죽고, 시작이 있으면 끝도 분명히 있다. 시작할 때는 즐겁지만 끝날 때는 어쩔 수 없이 외롭거나 슬프다. 그렇지만 그 외로움도 슬픔도 다 받아들이고 새로운 출발을 위해 또다시 일어서야 해. 끊임없이 넘어져도 자꾸자꾸 다리를 움직여서 어떻게든 자신의 발로 땅을 밟고 일어서려고 애쓰는 엔짱처럼.

작가 후기

    몇 년 전 고향 집에 와 있을 때의 일입니다. 분명 토요일 대낮이었다고 기억합니다. "딩동" 하고 벨이 울려서 현관문을 열어보니 교복을 입은 여자애 두 명이 서 있었습니다. 중학생인지 고등학생인지는 슬쩍 봐가지고는 잘 모르겠더라고요. 왜냐면 저는 그때 스물하고도 몇 살 더 먹어서 그 또래 소녀들의 나이를 잘 구별하지 못하던 시기였기 때문입니다. 제가 눈앞에 있는 소녀들의 딱 그 나이였을 때 어른들의 나이를 잘 구별하지 못했던 것처럼요.

    그 여학생들은 하얀 고양이 새끼들을 익숙하지 않은 듯한 자세로 안고 마치 결심이라도 한 듯이 필사적인 모습으로 갑자기 다음 말을 꺼냈습니다. 길고양이를 주웠는데, 자기들로서는 어떻게 할 수가 없어서 동네를 돌면서 "이 고양이를 좀 키워주세요"라고 부탁하고 다닌다는 겁니다. "아, 잠깐 기다려봐" 하고 집에 계시던 엄마에게 연결해줬지만 대답은 당연히 "노"라서 그 여학생들은 교섭의 여지도 없이 쫓겨났습니다. 뭐, 보통 아무런 마음의 준비도 없는데 잘 모르는 여학생들이 고양이를 맡긴다고 하면 그 자리에서 OK 할 수 있는 사람은 없을 겁니다. 가슴은 살짝 아팠지만 나는 그 당시 고향 집에 살고 있지 않았으므로 무책임하게 고양이들을 맡을 수 없는 노릇이라서 "미안해"라고 냉정하게 말하고는 현관문을 닫았습니다.

그렇지만 현관문을 닫은 뒤에 제 맘속으로 무언가가 조금씩 몰려왔습니다. 그리움이나 슬픔 같은 묘한 기분. 아 저 애들은 예전의 나다. 나와 똑같다. 나에게도 저런 시절이 있었는데.

그 여자애들의 씩씩함. 곧음. 우연히 주운 고양이에 대한 자기희생적인 헌신. 전에는 내 속에 분명 있었던 것들. 그러나 어느 날 문득 정신 차려보니 잃어버린 것들.

제 감수성은 영원히 나이를 먹지 않는다고 생각했지만, 그건 착각이었고 사실 여러 가지로 조금씩 변해가고 있습니다. 예전의 저는 너무 예민해서 살아가는 일에 언제나 지쳐 있었고, 신경과민으로 사람들과 만남의 폭도 극히 좁았습니다. 음악에 빠져 이어폰 없이는 밖에 나갈 수조차 없었고 가끔 친구에게 편지처럼 긴 문자를 보내곤 했습니다. 기나긴 사춘기를 막연하게 질질 끌던 그 애가 저인 줄 알았는데 그때의 저는 지금 어디에도 없습니다. 앞서 말한 그 여자애들 같은 모습에서 세상에 익숙해진 어른의 모습으로 어느 순간 미끄러져 온 것이지요.

그게 슬프다는 건 결코 아니고요. 어른이 된 지금 저는 매우 즐겁게 지내고 있습니다. 완전히 신경이 무뎌져서 편하게 살고 있고, 별 고민도 없고, 그냥저냥 잘 지내고 있습니다. 그렇지만 저는 단편소설을 쓸 때만큼은 하얀 새끼 고양이를 안고 있던 그 여자애들과 같은 시절로 돌아가서 '그 시절 제가 가지고 있던 마음의 중심부를 꼭 써야지' 하고 생각합니다. 왜 그런 걸까요?

이 책은 문단에 나오기 시작한 무렵부터 몇 년 동안 여러 매체에 쓴 단편소설을 모은 책입니다. 문고판으로 만들면서 문예지 ≪en-Taxi≫의 휴간호에 게재된 「사랑해 AIBO」를 추가로 실었습니다. 2003년에 ≪en-Taxi≫가 창간될 때의 일을 왠지 잘 기억하고 있어서 일종의 전별금 같은 이야기를 써야겠다고 생각하고 만든 작품입니다. 이 기회에 다시 읽어주시면 고맙겠습니다.

데뷔작 『여기는 심심해 데리러 와줘』부터 장편 『아즈미 하루코는 행방불명』, 그리고 이 단편집까지 세 권의 책을 담당해주신 야지마 미도리 씨, 그리고 스기모토 마사토 씨에게 이 책을 바칩니다. 20대에는 그렇게도 미래가 보이지 않는 인간이었던 제가 작가라 불리고, 책을 내고, 더군다나 팬들까지 생기다니, 참으로 믿어지지 않는군요.

독자 여러분들에게도 마음으로부터 감사를 전합니다!

2016년 12월
야마우치 마리코

외로워지면 내 이름을 불러줘

초판 1쇄 발행   2019년 12월 23일
초판 2쇄 발행   2020년 1월 27일

지은이   야마우치 마리코
옮긴이   박은희
펴낸이   반기훈
편집   반기훈, 서동빈

펴낸곳   ㈜허클베리미디어
출판등록   2018년 8월 1일 제 2018-000232호
주소   04092 서울특별시 마포구 신수로29 2층
전화   02-704-0801
홈페이지   www.huckleberrybooks.co.kr
이메일   hbrrmedia@gmail.com

ⓒ Mariko Yamauchi, 2017
ISBN 979-11-965629-6-0 05830

Printed in Korea.